無錫楊壽枏著

雲在山房類稿（一）

文史哲出版社印行

U0139234

國立中央圖書館出版品預行編目資料

雲在山房類稿 / 楊壽枬著. -- 初版. -- 臺北
市 : 文史哲, 民83
面 ;　公分
ISBN 957-547-915-7(精裝三冊)

089.86

雲在山房類稿（全三冊）

著　者：楊　　　壽　　　枬
出版者：文　史　哲　出　版　社
登記證字號：行政院新聞局局版臺業字五三三七號
發行人：彭　　　正　　　雄
發行所：文　史　哲　出　版　社
印刷者：文　史　哲　出　版　社
台北市羅斯福路一段七十二巷四號
郵撥〇五一二八八一二彭正雄帳戶
電話：三　五　一　一　〇　二　八
實價新台幣一八〇〇元
中華民國八十三年十一月初版

究必印翻・有所權版

ISBN 957-547-915-7

雲在山房類稿　目錄

無錫楊壽枏著

雲在山房類稿（一） 目錄

先君味雲公（一八六八—一九四八）事略

無錫楊景熥通誼

一、家世

無錫楊氏先世居北鄉寺頭鎮，明季遷於城，累代儒素，已有三百餘年歷史，至先君味雲公爲第十一代。七世祖度汪字若千，由博學鴻詞入翰林，名高而宦不達。六世祖廷彬字補亭，五世祖陛菼字映紳，潛德弗曜。高祖紹基字桂巖，清望重於時，官蘇州府學教授。曾祖延俊字菊仙，以進士起家，宰山左有惠政，祀肥城名宦。祖宗濟字用舟，菊仙公第四子，乙丑縣試冠軍。次年歲試第一食廩，旋以軍功保授訓導，加五品銜，賞戴花翎。用舟公多疾，晚年閉户讀書，奉親課子，丁酉患咯血卒，年五十六。伯祖宗濂字藝芳、以迴字霖士、宗瀚字藕芳，起家戎幕。大局平定後，藝芳公陳臬山西，督辦絳州紡織廠。奉調由長蘆運使督辦順直紡織，以病歸，未及舉辦。霖士公精研易學，留家奉母。藕芳公佐劉銘傳駐臺灣，辦商務開埠事宜。旋奉李鴻章電招，接辦籌設上海機器織布局，不數月成效大著。次年布局發生火災，鴻章命盛宣懷接辦。藕芳公回里與藝芳公同籌設紗廠，名業勤紡織公司。是爲中華民間首創環錠紡紗廠之始。

二、幼年時期(一歲至十五歲，一八六八—一八八二)

先君名壽桐字味雲，晚號苓泉居士。初名壽棫，廿七歲時改今名。一八六八年(同治七年戊辰)八月二十一日生於邑城大成巷新宅。祖居下塘旗杆下。七世祖若千公以博學鴻詞入翰林，故邑人呼爲鴻博第。一八六四年(同治三年甲子)燬於兵火，曾祖母侯太夫人營大成巷宅居之。後鴻博第修復，乃稱旗杆下爲老宅，大成巷爲新宅。先君幼穎悟。四歲起，祖母張太夫人卽教以識字，日能記三十餘字。五歲入家塾授《大學》章句。六歲讀《中庸》、《論語》。七歲讀《孟子》，始學爲對偶語。祖母課以唐詩。八歲始學爲詩。祖母母家太倉，最愛鄉先輩吳梅村詩。授以永和宮詞《圓圓曲》諸首，琅琅上口，終身不忘。九歲讀《周禮》、《爾雅》、《禮記》。作重陽詩曰：「風雨冷淒淒，龍山望欲迷。白衣人送酒，跌了一身泥。」師閱之失笑。既而曰：「詩有思路，且能用典，可喜也。」自此喜爲韻語。十歲讀《禮記》、《左傳》，始閱《通鑑》，記憶力頗强。十一歲讀

《左傳》。作風箏詩云：「清明時節好風天，齊向春郊放紙鳶。莫道常偕童子戲，青雲得路獨登先。」十二歲讀古文。祖父用舟公手選古文百篇，分爲四集：(一)聖賢義理之文；(二)名臣經世之文；(三)漢魏以來家弦户誦之文；(四)六朝唐宋駢儷之文（先君五十歲後輯爲家塾古文約選，以課其子）。十三歲讀《文選》。十四歲始學爲制藝及律賦試帖。十五歲始專致力於制藝。應縣試取二十一名，府試取三十五名。

三、少年時期（十六歲至二十九歲，一八八三—一八九六）

先君十六歲應院試，正場取第九名，提覆以疵被擯。十七歲應縣試府試，俱列第二名。院試以第一名入泮。祖母太夫人逝世。十八歲在溧陽學舍讀書，治舉業，習算學。十九歲娶先母顧夫人采雅。二十歲科試取一等第七名，補增廣生。二十一歲應鄉試而未售。二十二歲應鄉試，堂備額滿見遺。二十三歲科試取一等一名，補廩膳生。二十四歲應順天鄉試中式第七十二名。應保和殿覆試，欽定一等第九名，卷出翁同龢手，頗稱許。二十五歲應會試未售。曾祖母侯太夫人卒。二十六歲始治經世學。二十七歲入都，應恩科會試未售。是年改名壽枏。二十八歲應會試，薦而未售。時值中東戰役，感憤時事，有焚硯投觚之志，遂棄科舉。出山海關登角山望海，覩時局之阽危，念功名之蹭蹬，不禁有身世之感。二十九歲祖父多疾，閉户讀書。一意治經世學，尤肆力於財政。田賦、鹽漕、幣制、農田、水利諸政，博綜條貫，蠅頭細書，手錄至數十萬言。異日用世之略，實得力於此。

四、中年時期（三十歲至五十九歲，一八九七—一九二六）

一八九七年（丁酉），先君三十歲，祖父卒。喪事畢，有遠游志。伯祖藝芳公以河東鹽法道權晉臬，旋署藩篆，先君隨至晉陽。時晉撫胡蘄生創辦新政，設武備學堂、商務局、紡織廠，以藝芳公爲督辦。所有奏疏函牘皆先君所擬，爲胡所賞識，遂延入署中，主内文案兼撫藩兩幕。杜門治文書，不通賓客者數月，以避嫌疑。所籌絳州紗廠，藝芳公總其事而先君佐之。機已運到，廠亦垂成，以胡去位而停頓。後紗機售歸南通大生紗廠。己亥回里，葬祖父及祖母合兆於小菱灣。庚子，伯祖藕芳公在錫辦業勤紗廠，先君主辦廠務。業勤開辦時，股本不足，向江督劉坤一借用蘇省積穀款十萬兩。至是躬親考核，辛苦經營，所欠公款分期償清。先是先君以紳富捐奬内閣中書，將入都供職，以義和團之變乃止。時先岳德生公偕先伯岳宗敬公在錫開設廣生錢莊。余結婚後，先岳嘗謂余曰：「廣生送款至業勤賬房，心中羨慕辦紗廠。聞親翁對人云：『吾儕讀書積學，所爲何事，乃能羈身於一廠乎？』固知其非池中物。」

一九〇一年（辛丑），八國和議成。藝芳公敦促先君北上，就內閣中書職，並起草興辦順直紡織奏議，上諸當道。壬寅，入孫家鼐幕，主章奏。孫每日退朝，必至齋中談經史，深受教誨。未幾藝芳公奉旨督辦順直紡織事宜，因病請假南歸，未及舉辦。先君留京供職。癸卯二月，乞假南歸。七月間，清廷添設商部。孫家鼐保送先君應中書部曹考試。遂於八月間入都應試，取列第十七名。商部傳到，分保惠司行走，兩年內升至幫主稿、幫掌印。乙巳六月，以鎮國公載澤爲首之五大臣奉旨出洋考察，調先君充二等參贊，任總文案。十一月載澤率考察大臣由滬放洋抵東京，住日皇芝離宮度歲。丁未四十歲，正月渡東西太平洋，經美國抵英京倫敦，留一月。赴法京巴黎留二旬。至比京留半月。考察事畢，六月回京覆命。七月任總纂，編書於法華寺。所譯東西洋政治書編成六十餘種，擇其精要者三十種，分撰提要呈覽。九月清廷派載澤會同各部院尚書及南北洋大臣釐訂立憲官制，奏派先君隨同編纂。居海淀之朗潤園。同事者二十餘人，皆一時名碩。以使事勞，補員外郎，加花翎三品銜。十月隨侍郎楊杏城赴南洋各島撫慰華僑，十二月回京覆命。著有《南海採風記》，庚申燬於火。戊申正月上《考察南洋各島華僑商務摺》，爲時傳誦。三月補工務司員外郎，充主稿兼充公司註册局總辦、商標局會辦。爲先後任本部尚書者所倚重，參與部中要政。

一九〇九年（宣統元年己酉），清廷鋭意籌備九年立憲。載澤爲度支部尚書，設立清理財政處，奏調先君爲該部丞參兼財政處總辦，專任清理財政。先君請簡監理官分駐各省，設十二科，選調部員之才敏者充總核辦稿諸事。雇用書吏僅事繕寫，力矯過去書吏權重之積弊。風氣爲之一變。並令各省造財政説明書，爲編制預算決算之用。部中重要奏摺皆親自主之。庚戌，資政院成立。八月編制宣統三年各省預算册送交資政院議決。是時預備立憲，政費驟增，各省皆以新增練兵、教育、司法費列入預算册，不敷一萬萬餘元。朝野皆知事體之難爲。先君並不倡言裁減，而於正册之外另編副册。正册收支適合，交資政院議決，預算遂以成立。復行文督撫，副册各項新政，速籌的款舉辦。各省乃以籌款爲難，奏請緩行，而度支部不任其責。但預算不敷之數，終須解決。乃密商資政院由財政股議員核減，仍由部主持，故所裁者皆實係冗費。

又知外省收款尚多隱匿，乃令行各省，預算之外欲增加支出者，必先籌的款報部核准，否則以違法論。此令行而隱匿之款亦次第托出。其發謀定策解決疑難多類此，故爲長官所倚重。或謂宜借立憲題目，提出加稅案於資政院。先君不以爲然，並云：「現在會計制度未定，內外用財無藝，應勿以商民之膏血，供官吏之侵漁。」凡各省提議增稅，均予駁斥。清出外銷款項，部庫亦不提取一文。故疆吏無一語抗爭，臺諫亦無一疏彈射。辛亥，補度支部右參議。八月編制下年全國預算送資政院。十九日武昌起義。九月任袁世凱爲內閣總理，改組內閣。先君補左參議。時事日非，度支部丞參四人，辭職者三。清廷官吏紛紛請出京，而先君仍守本職，逐日到部辦事，以爲清室一日不亡，當盡一日之責。至十二月二十五日遜位詔下，乃請假出都，移居天津。

一九一二年（民國元年壬子），周學熙長財部，設鹽政處，任先君爲總辦。乃調舊僚樓思浩、錢錦孫、李思浩等爲助。時張謇上鹽務改革案於政府，主張廢綱商，收場產，破引岸。朝野大譁。袁世凱欲反對之，而難於置辭。先君以爲鹽務關係國計民生至巨，目前不宜輕言改革。張案書生之見，然援古證今，言之成理，未便駁斥。乃另草改革鹽務計劃書，以清除鹽場積弊爲主旨，降低鹽稅。兩案並提交參議院討論。結果以財政部計劃籌劃精詳，辦法穩慎而通過，張案乃取消。楊張交誼因此遂離。然先君以爲事關國計民生，自不得不倍形慎重。九月簡授天津長蘆鹽運使。長蘆鹽課向用銀兩，科目繁碎，吏緣爲奸。先君併爲一條鞭，改兩爲元，商民稱便。又整理場產，分濟鄰銷，歲課驟增二百餘萬。惟部中不正當提款，皆堅拒不應，爲長官所不便。十月外調爲粵海關監督。知非袁意，未赴。甲寅正月請開缺回錫掃墓。京函電交催，派充總統府顧問兼財政委員，及舊稅處委員府秘書，乃入都。袁命在公府設財政會，凡財政重要事件均交會核議。袁問先君，財政如何統一。答稱軍政能統一，財政自然統一。又稱各省財政廳長皆選有名望之人，與督軍省長可以抗衡，則財政自集權於中央矣。袁深韙之。是年簡任山東財政廳長。

一九一五年（民國四年乙卯），在山東財政廳任。將軍省長皆相倚重，事無掣肘。時政府銳意籌款。先君電部，略謂民間不怕稅則之重，而苦稅目之繁。請擇稅收豐而科目簡單者實行舉辦，其餘雜稅均請暫緩。於是專辦驗契、畝捐、公債三項。兩年中經常歲入外，增收至千萬。財政部考核各省成績，以山東爲第一。

是年業勤兩房內部矛盾愈演愈烈。先君乃召藝芳公三子翰西叔（壽楣）來濟南，勉其脱離業勤，另建新廠，並向周學熙推薦，入股合作。兩年後（民國六年），翰西叔另設廣勤紗廠於無錫周山浜，以周楊兩家投資爲主，獨樹一幟，獲利頗豐。

先君在山東時，考察各縣令之功過，以小册記之。新正各縣令來省賀歲，觴之署中，卽以治績最優者數人延之上座。某令居前列，出語人曰：「今日之讌使我汗出。稍不愼，明歲再來將降居下座矣。」先君知人善任，大率類此，使無形勸懲，勝於循例考課。丙辰，京師設籌安會，將復帝制。袁欲調先君內用，令人示意。先君心惡帝制，以才不勝任婉辭。四月國民黨由青島舉兵進攻省城。官紳有倡獨立者，會議於軍署。先君以爲若獨立，徐州張軍蚌埠倪軍必將反戈夾擊，魯局危矣。將軍謂能籌餉六十萬城乃可守。先君曰諾，但須由財廳調度，中、交兩行歸廳管轄，各縣收款卽解，遲則以貽誤軍需論。將軍允之，議乃定。實則先君已預籌四十萬儲庫，故毅然負責。是時省長不敢出面，政事皆由先君主持。民軍每夕攻城，槍聲四起。夜不安寐，晝則仍從容治事。如是者一月。袁病故，黎繼任，兵事始解。先君逆知軍閥勢力漸張，事不易爲，乃託辭入都籌餉，到部卽具呈辭職。自言在度支部三年山東兩年，意氣最爲舒發，民五後則形格勢禁，一事不能辦矣。

丁巳，先君五十歲，在天津。二月擢財政部次長。時財政部以銷燬制錢案興大獄，總次長均交法庭。乃特任李經羲爲總長，而因病未到。先君任次長，先視事代理部務。時政變之後，政府威信漸替。各省解款不至中央國庫。全部歲入約八千餘萬，歲出爲一萬萬。經核定每月支出七百萬元，收支適合。並通盤籌劃，定一臨時預算，如能從容整理，財政可復舊觀。但視事兩月，國是驟變。五月十三日忽有復辟之舉，並有度支部左侍郎之命。時方抱病在家。未幾馬廠兵起，張勛兵敗入荷蘭使館。先君病愈先期出都，旋又有署理尚書之命，則已身在天津，故並未直接參預復辟。但最痛惡民國以來之政客翻雲覆雨，認爲「張勛復辟雖不成功，然磊磊落落，不失爲歷史上有名人物」。

一九一八年(民國七年戊午)二月，先君偕眷屬返里，並游西湖。四月返津。六月被選爲參議院議員。八月兩院開幕。九月舉徐世昌爲總統。先君被公推爲天津華新紗廠經理。先是袁世凱有振興北方棉業之意，議撥官股四百萬元，另招商股六百萬元，在北五省設紗廠五處，命周學熙籌款，派周學輝爲督辦。袁故後，議乃中輟。部款僅撥百萬(實收八十萬)，商股觀望不前，但已購機建廠，款絀工艱，勢將不支。政府以久不開工，派員查辦。內幕真相，實爲交通系與皖系有隙，欲借此推翻皖系勢力。學輝懼，力辭督辦，乃公推先君爲經理。徐世昌與楊氏有舊誼，遂打消查辦之議。學輝雖辭退，其所引進之同鄉職員，仍盤踞廠內，揚言如錫人進廠，要飽以老拳。先君肯出任之動機有三：(一)以周學熙爲首之北方實業團體不可爲交通系擊敗。(二)周楊兩家爲兒女親家，不得不出而肩任艱鉅。(三)對財政有辦法，對辦紗廠有前後三次經驗，自信可以操之裕如。故在政治上得到徐世昌之默契後，便毅然出任。不意內部有此人事上之糾纏。乃慎思密慮，首先採用包工制。明知包工制是毒劑，仍決定用之，使廠中盤踞者不得不知難而退。匕鬯不驚，彌患於未萌。其次，設大同銀號，吸收團體中其它公司資金爲活本。其三，組織興華資團，成爲紡織大團體。第一策已見成效。第二策，大同立而金融活躍，一年中紗廠銀號同獲巨利。第三策，天津華新獲利豐厚，帶動唐山、衛輝、青島三廠相繼建立，股本幾達千萬。成立興華資團，則可收相互挹注之效。先君以爲際此商戰時代，非結合團體不能與外人抗衡，乃倡設棉業公會，執北方紡織界之牛耳。滬漢等處亦遇事諮度，馬首是瞻。

先君接辦天津華新紗廠，精心闢劃，閃電投產，不逾兩月，至舊曆年開關已紅盤上市。出手得盧，人皆歆羨。周楊均財政老手，以財政目光移用於實業，故能高掌遠瞻，謀事慎密，非一般商人所及。當政府將查辦華新時，周學熙爲應付政敵陰謀，一面請先君出任艱巨，一面取得政府特派爲全國棉業督辦之職位，以防萬一查辦時，可資應付。及華新成功，獲利頗厚，乃辭去棉業督辦，由先君代之，可謂天衣無縫。先君就任，卽呈請財政部撥華新官股八十萬元爲棉業處經費，以所收股息提倡棉業。實則使華新官股操之於手，使不受政潮影響。先君任職八年，不受薪俸，藉以避免政敵空穴來風，更好顧全大局，保障北方實業團體之整體利益。己巳(民國十八年)交卸時，官股八十萬均繳還財政部。由此可見，先君與周學熙緊密配合，一面利用政府力量，發展實業，一面又愼密防止政敵亦利用政府力量進行巧奪，同時亦防止團體內部不肖者破壞團體利益，故雖有收回官股改爲全部民營之條件，亦仍退回官股。後津廠出售時，主其事者不得不先行集會，醵資將官股退回，然後出售於日商。老成預見，誠非後生所及。然能爲之者，必先不計較私利，而以團體之利益爲前提，始克臻此。

一九二〇年(民國九年庚申)，皖直戰争起。先君在天津專辦實業，偕周學熙創設唐山、衛輝等處紗廠。壬戌，特派清理舊債，設局於財政部，方派員著手清查，而奉直戰事驟起，乃辭差返津。無錫士紳呈請設立商埠，公推先君爲督辦。督軍省長均來電推荐。乃奉命督辦無錫商埠事宜，回里開辦商埠。旋奉軍失敗，徐世昌下野。黎元洪復職，與先君交誼厚。内閣改組，内定先君爲財政總長，京津函電交催。先君以財部屢興大獄，政局動盪，實不敢居，乃遷延不赴，聞改任劉恩源爲部長，乃回津度歲。劉出身軍界，爲曹錕盟弟，亦爲先君之姪婿，無財政經驗。兩次來津，挽先君任鹽務署長，迫於戚誼，允暫擔任，以過年關爲度。命下任財政次長兼鹽務署長，已迫年關，卽籌款六百四十萬，從容度歲。但鑒於政治日非，燈節後卽請辭職，僅允假一月。假滿復辭，府院不允。時選舉總統問題，發生政潮。先是馮玉祥來訪，訴軍警之苦，聲淚俱下。先君不得不彈淚陪之，實則知其爲曹錕賄選張目。旋有索餉之舉，以早有準備，卽日由鹽署發餉百萬，事乃定。然曹社聚謀，黎難未已，乃力勸劉文泉同退辭。呈上後，劉准，而先君獨被慰留，乃請假赴津。未幾軍警又組織索餉，總統黎元洪被迫出走。朝事紛紛，當道屢託人勸駕，先君堅臥不起，至七月始准開缺。

先君在京時，總税務司英人安格聯上維持内債説帖，欲以華府會議議定之實行值百抽五新關税，改充金融等六項公債基金，意在將新舊關餘一手把持。先君堅執不可，與部員張競仁著論力辟其謬。又在部時，始終反對金佛郎案，頗受議員報館及校長之攻擊，與安格聯之公債，皆爲怨府。至顧維鈞內閣時，始悟其奸，毅然免去安格聯職務。迨查明安曾私挪公款將劾治時，安已逍遙海外矣。

一九二四年（民國十三年甲子）七月，江浙戰事起，鏖戰於崑山太倉宜興之間。奉直兩軍戰於榆關。馮玉祥迫總統曹錕退位，段祺瑞入都執政，北方軍事始定。南中則浙兵敗北，奉軍南下，各縣皆被兵災。無錫被焚掠十晝夜。翰西叔以商團力保危城。先君則入都組織兵災善後會，謁段執政，請求內務部分撥賑款，免攤軍餉。均允飭知照行。又公電張作霖、盧永祥，力請撤兵，亦達目的。軍閥內鬨，奉天張作霖擴展勢力於東南，浙帥孫傳芳舉兵討奉，直取南京，東南五省皆歸孫統轄。戰事漸移而北。軍閥內部混戰，奉吳佩孚爲盟主，又不受命。大局趨於混亂。國民黨北伐軍乘機崛起，進攻贛、浙、蘇，先佔上海，直取南京，乘勝北伐，卒消滅北洋軍閥數十年盤踞之勢力，取而代之，成立國民政府。先君發展華北棉業之全盛時期，亦到此告一段落。

五、老年時期（六十歲至八十一歲，一九二七——一九四八）

一九二七年（丁卯），先君六十歲。政局動盪。津廠股東皖派不甘心辦廠失敗，思欲乘機捲土重來。先君認爲津廠基礎已固，老輩數十年交誼，不可以後裔之謀奪私利而兩敗俱傷，凶終隙末，爲社會所恥笑。乃急流勇退，進行改組，推周學輝爲常董，周叔弢爲經理，主持廠務，而已則僅擁專董虛名。卸職前，請謝霖甫會計師清查全廠資産負債及財産目録，交董事會備案。先君顧全大局，不争私利，以全部資産徹底清查後移交後任，保障股東已得權益，在棉紡業中可謂唯一的先公後私的典型。

華新津廠改組後，主其事者礙於全廠資産經過徹底清查後移交，未便任意變動，乃從事擴建項目，藉可從中漁利。但營業則逐年退化，公積耗盡。至丙子（民國廿五年），營業虧損，周轉困難，最後乃將廠出售於日商。先君事前已有所知，極感憤慨，以爲華新津廠根底堅固，不欠銀行債務，何至出售，且售給日商，引狼入室，貽害無窮。時余適自美留學歸國，在上海，先君命余向上海全國經濟委員會棉業統制會呼籲制止。該會秘書長鄧福培已知華新津廠幕後主持者決心出售，覆函不願干預。余乃以新聞採訪方式在滬報道消息，俾世人咸知無錫楊氏乃反對出售該廠於日商者。

津廠出售後，唐廠亦提出與日商合作之議。開股東會時，先君命余代表出席。余謂南方紗廠負債累累,仍在運轉,唐廠歷年發息,何至爲此喪失權益之舉。到會股東咸大鼓掌,表示反對合作,卒以主其事者操縱股權,仍表決通過。先君慨歎曰:「津廠出售,唐廠合作,勢難挽回。我只會辦廠,不會賣廠,更不會合作,讓股東和社會人士知我心迹,不爲歷史罪人足矣。」

華新四廠,衛廠資力最差。國民政府成立後,新貴頗思染指。先君代周學熙爲全國棉業督辦時,曾以節省政費項下購存衛廠股票三十萬元。爲堅壁清野計,以此項股票助回民教育費,並促回民領袖馬福祥取得當局親筆批示,卒能杜絕後患。先君爲保障股東權益,輒苦心孤詣,精密策劃,而又進退得宜,不失其品格風度。無論在政治上,實業上,其措置無不類此。

先君與周學熙辦紗廠,均以財權自主爲第一要義。故華新開辦一年後(一九一九,民國八年),卽成立中國實業銀行,以周學熙爲總理,李士偉爲協理。未幾周辭退,以李爲總理,先君爲協理。時實業團體中,啓新洋灰公司、開灤煤礦公司、耀華玻璃廠等都是中實存户。華新購棉存紗,可資挹注,不全仗其它銀行,故不爲所操縱。

國民政府成立,政治中心南移後,中國實業銀行總理李士偉逝世。龔心湛繼任爲總理。龔雖皖籍，非實業團體中人，以與段氏有姻誼，得任此缺。投機公債折閱廿餘萬，盡欠行款。上行下效，津行經理朱某亦欠行款。風聲外洩，發生擠兌。朱某懼，先以經手之借款押品私自取出，並要挾總理速還欠款。心湛束手無策。先君見形勢急迫，謂朱曰：「協理如何？」朱不敢答。乃曰：「吾以協理名義送汝法辦。」朱懼就範，保證立卽交還私竊押品。同時，先君另設債權團，以私款廿萬承授津行爲衛廠以棉紗担保之貸款。外界咸知先君挺身而出，風潮立卽平息。但上海分行與南京接近，尾大不掉。經理劉晦之勾結財政部濫發鈔票，經營公債地產投機買賣，一度釀成擠兌風潮。以發行鈔票與財部要員有默契，旋卽平息。龔劉均皖人，互相勾結，密謀遷總行於上海，以龔爲董事長，劉爲總經理。時周學熙已不問事，常董周學輝對遷行雖不同意，以有南京後臺，不敢反對。先君見大勢已去，非一木能支，乃堅決辭去所有紗廠銀行一切名義，退而與當代名流結社唱酬，以文史自娛，編寫《雲在山房類稿》，收集平生所著詩文、詩話、漫録、雜記、叢録等十餘種付印行世。辛未沈陽之變，感傷時事，賦《秋草》詩四章。海内外和者甚衆，復輯成《秋草唱和集》。東瀛詩人尊爲「楊秋草」而不名。

北方紗業自華新創辦後，各處新廠風起雲湧。人勸津廠擴充添機。先君曰：「此業盛極將衰，吾爲股東計，寧保守固有，期諸永久。」未逾年紗業大拙，或半途廢棄，或折閱停頓；卽幸存者，亦爲債權人束縛，股東本利悉付子虛。甲戌（民國廿三年），南方紗業最不景氣。無錫榮氏在上海所經營之申新各紗廠，已爲中國、上海銀行所組織之銀團監督營運，無自主權。其他債權人紛向法院起訴。以影響社會，關係重大，法院暫不接受訴訟。無錫方面，榮氏所經營之麵粉廠及紗廠，前者已爲上海銀行訂立營運合同所束縛；後者亦受銀行壓迫接受營運方式，但爲榮氏所堅決抵制。次年新麥上市，銀行以不放營運借款採購新麥爲要挾。如錯過原料季節，全年將無利可圖，負債益深；但如接受，則申新最後一塊陣地亦被吞噬，幕後操縱者可進一步迫使榮氏訂城下之盟，賓主倒置，數十年苦心經營之民族資產，將落入官僚資本之手而不得翻身。

一九三五年（民國廿四年乙亥）秋，榮氏聘余爲茂新協理。次年（丙子）余密向先君報告情況，懇賜援助之手。先君歎曰：「舊官僚尚知發展實業，有利於民，新官僚乃祇想謀奪民族已有之資產乎！吾旣以私財挽救銀行擠兌風潮於前，况爲至親謀，何忍坐視。」乃命余祕密從廣勤紗廠劃出私款十萬元存入中國實業銀行，以銀行名義信貸於茂新，購辦新麥。上海銀行聞之大驚，又不知內幕深淺，乃急派員携九十萬元來廠辦麥。是年茂新盈利達三十萬元。先君謂余曰：「吾計已售。然根本之道，當力圖財權自主，爾其在銀行不同派系中圖之乎？」時交通銀行與中國、上海銀行內部對立。而交通經理與楊氏有姻世誼，余乃介紹內兄伊仁同往密談，達成簽訂二百萬元之貸款。遂一鳴驚人，使中、上兩行態度爲之一變。乃在車站附近建立新棧房一處，申新購棉售紗，凡進棧者均照做貸款，無掣肘之虞。是冬幣制改革，物價上升。次年（丁丑）新正開盤，申新日可獲利三千元，反負爲盈。至端節時，估計全申新各廠在中、上兩行抵押之資產，年終可全部還清。先君謂余曰：「財權自主，起死回生。如接受營運，債權人隨時可以資不抵負，週轉不靈爲藉口，停止貸款，要求依法處理債務，大局危矣。況幕後有權要操縱，其不爲覆巢之卵者幾希。」果也，申新財權自主後，在法幣推行前，某權要赴錫晤先岳，願以借款爲資本合作。先岳派伊仁虛與委蛇，在榮氏別墅勾留一月，終不得要領而去。兩年中，榮氏在錫事業，得余秉先君之命，爲之策劃，首先在金融上掙脫束縛，繼以法幣出籠，紗價上升，而財權自主，不受剝奪。開花結果，指日可待，奈日寇入侵，好境頓成泡影，惜哉！

敵僞時期，先君杜門不出。戊寅先母逝世。余奔喪赴津。事畢先君謂余曰：「此問執政者多舊僚。吾堅臥不起，對我無可奈何。爾當盛年，速返，免受注意。」又曰：「翰西避鄉，爲日軍所得，迫就僞職，難逃惡名。汝岳本將同翰西避鄉，以汝千里赴難，保獲脱險，得免與翰西同命運，前途未可限量。他日必將有以爲報，其共勉之。」先君年老多病。周學熙每週輒親往探視，交誼老而彌篤。嘗曰：「老九(學輝)胡鬧，讓人家罵我們是漢奸。」先君曰：「是非自有公論，是以古人樂有賢父兄。」蓋學輝計較私人利益，罔識大體，成事不足也。

一九四五年(民國三十四年乙酉)，抗戰勝利。中國實業銀行總行從重慶遷回上海。在重慶時，官股董事長傅汝霖擅將老股額打成一折，多餘之額借拍賣名義轉入私囊，并賂賄權要。至此，天津老股東大譁，向行政院提出控告。傅懼，挽人向老股東疏通。津股東集會於先君家中，議決派代表五人至滬，出席老新股東協調會議。結果老股額恢復股權爲百分之五十，並增資至五百萬元。余及其他老股東後裔代表五人，當選爲董事及監察人。先君思賢感舊，驅車親臨總行舊址，默視移時而返。華新津廠老股東以當初售廠與日商出於被迫，欲申請購還，而苦無有力證據。乃以十年前所發通訊稿爲證，以先君名義向行政院申請贖買發還原廠。此舉爲保障民族利益，伸張民族氣節正義，自無理由可駁。乃復文批示云：「呈悉，在中國紡建公司放棄收購原天津華新紗廠之先決條件下，准予楊壽枏等優先承購該廠。」等於一紙虛文。先君曰：「與虎謀皮，早知其不成。然藉此可昭示吾民族正氣及政府所標榜之民族利益爲何物，亦愛國有益之舉也。」

一九四七年（民國三十六年丁亥）八月，先君八十稱觴。余當年曾服務於防空軍校，携蔣中正壽匾及當代名人壽詩詞赴津，與兄昭緯、弟彥和同爲堂上祝嘏。老人欣然與兒孫輩歡聚一堂，但事後囑將全部原物帶回。笑曰：「斯何時乎！勿使老人多事也。」先君垂老之年，猶頭腦清醒若斯，誠非常人所及。

先君持躬有常，處變若定，立身處世，大節不虧。在清廷時，則曰：「清室一日不亡，當盡一日之責。」先君在度支部三年，山東兩年，意氣最爲舒發，惜政局動盪，難竟厥施。置身金融實業界後，接辦華新於危難中，不負至交所託；以私人財力平息銀行擠兌，及助榮氏取得財權自主，避免權要吞噬民族資產之危機。棲遲津門，奸慝不能奪其節，用晦而明，欣睹重光。及其晚年，猶能洞察形勢，而告誡諸子。先師錢基博爲先君譔序，稱之爲「歷險如夷，行所無事，含其德以通乎物之所造，而物莫之能傷者」。

先君實可當之無愧。
一九四八年(民國三十七年戊子)冬,天津國共戰事益急。先君患肺炎,十二月七日病逝於天津雲在山房寓所,享年八十一歲。余在滬爲戰事所阻,未能奔喪赴津,親親含殮,數十年哺育之恩,終難報答於萬一,嗚呼痛哉!

參考文獻

1 《無錫楊氏三世編年紀事》(手抄本)。
2 張之萬譔:《楊菊仙行狀》。
3 張之洞譔:《楊君菊仙暨配侯太夫人墓誌銘》。
4 張之洞譔:《楊藕芳行狀》。
5 楊宗濟著:《修竹吾廬主人自敍》。
6 楊壽枏著:《苓泉居士自訂年譜》,《雲在山房類稿雲邁漫録》。
7 楊景熿、楊景熥、楊景焴輯:《趨庭隅録》。
8 錢基博譔:《楊味雲先生八十壽序》。
9 周志俊著:《北方實業家周學熙》,《工商史料》(二),三一—三五頁,文史資料出版社。

10 楊通誼著：《無錫楊氏與中國棉紡業的關係》，《工商史料》(二)，五四—七十頁，文史資料出版社。

11 朱復康著：《楊壽枏》，《人物傳記》(第十九輯)，八四—八八頁，《中華民國史資料叢稿》。

庚午秋仲

雲在山房類稿

李[illegible]題

雲在山房類稿序

旃蒙大淵獻壯月執友楊君味雲裒所著書十四種題曰雲在山房類稿書來屬爲總序發而讀之文采斐郁諸體咸備而黃農虞夏之思黍離麥秀之感與夫國計民生盡謀碩畫都萃其中不禁作而歎曰美矣盛矣憶余與君訂交在光緒癸卯維時商部草創權輿人才鱗集吳縣胡君劭介單君束笙如皋冒君鶴亭淮安田君桂芳閩縣王君輪臣俱海內知名士而君寔爲魁傑每有鴻文鉅著恆就質於君歷金門上玉堂雖日試萬言倚馬可待炳炳麟麟藝林傳誦此一時也既國家淬厲維新遣五大臣周爰諸邦咨詢政治澤公貴戚精剛雅重君望奏調參贊君於各國內政外交法律財政教育實業軍備靡不殫精研究歐

美人士傾誠相餉得書四百餘種回國後君爲提要鈎元成書三十種旋擢度支部參議總司清理財政君以歲杪制用載於禮經列國歲計鮮不爲則爰莞攝樞機預定程序有六年攷成之計劃此一時也無何天造草昧乾坤屯蒙龍戰元黃羣情俶擾君慨然曰吾輩但知爲國辦事政體變革非所問也癸丑簡長蘆鹽運使乙卯掌山東財政廳出其緒餘蘇枯櫛垢民頌仁聲課績爲各省最或有以征榷羨餘說君餽獻要津者君愀然曰以閭閻之膏血供當軸之苞苴吾忍爲之乎已而復莅部任則帑藏一空掃地赤立泉之竭矣不云自中此又一時也君更歷世變蒿目時艱迺經綸北方實業曰欲北方之民無饑莫如興農田欲北方之民無寒莫如興紡織於是設華新紗廠於天

津唐山衛輝等處北地棉業蒸蒸日上解組以後耽心文
史嘯詠琴書薄遊蓮花泡十剎海諸舊名勝衰柳殘荷婆
娑風月雖塵襟瀟灑而人事滄桑輒形諸詩詞寫其紆鬱
又于梓鄉修葺顧染汾先生貫華閣湖光山色萬頃爭妍
詞客登臨僉懷嘉惠此又一時也嗟乎以君才華裕經濟
學儻得展其大用盡其設施則陸宣富鄭二公事業庶幾
迪前賢光又或潤色鴻業雍容廟堂燕許高文和聲鳴盛
亦當與河間儀徵兩文達聯武齊驅迺以天方艱難不佝
有舊未獲蒼生霖雨之寄縱小試經猷終無補于宏濟人
之不幸歟抑世之不幸也雖然吾嘗誦詩而索隱矣考槃
之碩人永矢弗告空谷之嘉客金玉爾音夏聲大矣試問
葭蒼露白之中有青簡之流傳不也而君則名山鉛槧坐

擁百城既刊師友遺著十餘種編爲叢書復纂茲類稿沾溉羣倫昔韓退之嘗欲耕於寬閑之野釣於寂寞之濱作唐之一經垂諸無窮然考退之所成厥惟順宗實錄今讀君覺華寮襍記一編雅綴掌故指切當世善惡是非時一露其抱負之宏遠是固近代得失之林也以視實錄何多讓焉易履之初爻曰素履之往獨行願也蠱之上爻曰高尙其事志可則也余故敘君之書特表君之學問志節以諗來者作之矜式至于法家拂士韜晦遯荒國勢所以阽危而不振有傾否之責者當憬然于君子小人消長之機矣年世愚弟唐文治敬序於無錫國學專修學校

雲在山房類稿序

同社錫山楊君味雲忠孝之門瑰奇之彥也於學無所不通而尤究心經世之業三十年來迭爲秉鈞軸者所倚重亦曾歇歷中外聲施爛然而實未竟其用蓋其蘊蓄者深有如江河之渾灝非涓流一勺所能盡也君雅不欲以文藝自見而倚馬萬言著述宏富儕輩咸歛手推服庚申冬問燕京城西舊居遭鬱攸之厄詩文俱燼比歲君蟄居津沽不問世事校錄師友遺著十數種付之剞氏名曰雲在山房叢書又掇拾庚申燼餘著述得十四種曰思冲齋文鈔補鈔二卷曰思冲齋文別鈔二卷曰思冲齋駢體文鈔一卷曰思冲齋詩鈔補鈔二卷曰臧園幸草一卷曰雲邁漫錄二卷曰覺花寮雜記四卷曰貫華叢錄一卷以及書

札鉢吟詞鈔詩話若干卷總名曰雲在山房類稿戊辰七
月余卧病燕京又因傾跌傷足君貽書餽藥殷殷存問辱
以王深寧馬貴與一流人物相期許謂宜善自珍攝留此
身以守先待後也又謂思冲齋詩鈔駢文鈔及覺花寮雜
記既有樊山閻公芷升諸君分撰弁言而雲在山房類稿
簡端尚未有總序序之莫如子宜余惟君生顧端文高忠
憲兩先生之舊鄉端文倡修東林書院偕忠憲諸君子講
學其間海內英賢望風景附端文嘗言官輦轂志不在君
父官封疆志不在民生居水邊林下志不在世道君子無
取焉故講習之餘必究心時事忠憲爲學則一本濂洛以
靜爲主操履篤實粹然一出於正晚年爲閹黨所誣陷懷
石沉淵流風遺烈奮乎百世當天啟甲子丁卯之交狂燄

彌天郡縣所在悉爲魏璫立祠尼山俎豆且將退避三舍高顧諸先生獨能力持正論挫折奸鋒凡閹人種種非義之爲盡力以抗屹然不可移易縱令椹胸伏鑽莫之能奪此其定識定力爲何如者誠吾輩後生所宜景行而師事也吾虞顧伯裕太僕大章亦爲閹黨所誣盡瘁授命其弟仲恭先生大韶以遺民著其風節足以媲美錫山高顧兩先生古稱立德立功立言爲三不朽余謂儒者但當致力於德德既修矣達而在上則立功窮而在下則立言素位而行無入而不自得焉孔子曰有德者必有言仁者必有勇又曰德之不修是吾憂也卽是此意吾儕生丁陽九當以守先待後自任俾數千年羣聖賢人之學不滅於秦燔一雪中國無人近代無儒之恥此則迂朽之身所願與君

共相策勉矢諸畢生而無斁百世俟聖而不惑者也類稿中雲邁漫錄體似張文端聰訓齋語覺花寮雜記多述近代掌故又與薛叔耘庸庵筆記相似所言均有關于世道人心非以夸博物廣異聞也駒陰迅邁重九已過舊都蕭條寒風栗冽余足疾未愈息偃在牀追念弁言之諾已逾兩月恐知己疑其疏嬾而食言也因將近年方寸所鬱結者拉雜書之卽以爲序共和紀元十有七載夏正戊辰季秋之月常熟孫雄師鄭氏序

雲在山房類稿總目

無錫楊壽枏著

庚午小陽月

思沖齋文鈔

壺公題

無錫山水秀絕東南其清曠明淑之氣縱橫數十里內而
斯文之緒乃若流水之續於大川莫之或息在清乾嘉間
楊蓉裳荔裳兩先生尤以文章風采照耀百世芾嘗私歎
其鄉文藝之盛逮近世楊氏賢者爲味雲少司農其經緯
原於學術咸可大可久而不囿於俗學方其蚤歲家塾時
四海九州之業乃如燭照而數計之尤饒遠識偶有所作
與世之摹擬形似者異趨恒冥追孤往誓不以一塵自壅
旣豁而通其精英薄乎星日有目者固已欽爲瓌寶矣比
成鄉進士從其世父御史公榷鹽長蘆於往來文移輒殫
心實力中歲登朝迴翔郎署迭釐度支權衡金粟清平簡
穆敦尙大體要以寬恤民力爲本俾無斁國家元氣又以
其間掌箋奏講罷一切無藝征務規宏遠時爲金石碑版

文咸簡深肅括雖酬酢贈答之篇亦不屑宗派萬武而雍容愉怡不減古作者猶有承平公輔風顧公所爲文生平不自秘惜多佚而不存公諸子嘗從芾遊民國己未冬一日公子昭緯通誼昆季挾篋至簡中藏公少作數首敘事嚴潔矩矱森整而清微峭勁如長松古雪翛然在峩眉天半其妙遠不測如此使竟優游一室以求會古人精神於穆邈中所詣固不竟此哉是數篇或已佚今集中所存多歇歷中外時所爲咸篤實而有輝光而忠厚和平之意猶時時溢於行墨間清光宣間儻世盡從公言時獲清晏則公天球河圖之文尤必有進於是者而惜多爲時所格斯蓋可以觀世變矣清秋暇日謹爲此序俾讀公集者慨歎景慕猶得一窺其俯仰獨至之深情也天津趙芾謹序

思沖齋文鈔目錄

無錫楊壽枏著

臨榆田氏姑婦節孝祠記

重修貫華閣記

雲適記

家塾古文約選序

壽栒年十二治諸經畢業始學爲文　先大夫授以義法且詔之曰讀古人之文宜知取舍涉覽主博選擇主精入五都之市百貨駢陳象犀金玉明珠翠羽之珍爛然而溢目然飢不可以爲粟寒不可以爲襦商彝周鼎晉帖唐碑好古者愛護摩挲而究亦無裨於實用若夫取之不窮資之不竭爲生人之至寶日用所必需者布帛菽粟而已聖賢之文主乎道德通儒之文主乎經術名臣碩彥之文主乎經世其精理閎識使人終身誦習如布帛菽粟之不可一日離此文之極軌也其次者道稍卑矣而其文辭閎深雋美使操觚者秉爲程式染翰者擷其芳馨譬諸彝器法書古今之珍品舉世皆知其寶貴者也至於駢偶之文緣

情綺靡舍秋實而取春華如珠玉之不可以爲衣食然爲之工者褒詞麗藻耀豔深華令人玩味之而不能釋識者亦有取焉夫文者載道之器也道不繫乎文則空虛而無所麗文不根乎道則汎濫而無所歸自三代以後六經之外作者雖多苟本此義以求之則與乎此者尠矣壽栩謹識之退而取秦漢以來古人所爲之文博覩而約取錄爲一編釐爲四集究天人之奧窮性命之微羽翼經訓原本忠孝道與文兼至者得三十五篇爲第一集燭千古之治亂鏡一代之盛衰高義薄雲天英光炳星日凡歷代經世之文得六十四篇爲第二集鉅製名篇藝林絃誦芳華不沫鼂采常新姚姬傳氏所謂神理格律氣味聲色俱備者得四十八篇爲第三集儷體盛於六朝沿於唐宋雕蟲篆

刻揚子所譏然如江鮑之豔徐庾之秀初唐四傑之華贍並標能擅美輝映千春茲采其名作得三十一篇爲第四集綜四集之文都一百七十八篇藏諸篋衍時取諷覽若夫十三經之精深二十四史之閎博周秦諸子之瑰奇以及屈宋之騷枚馬班揚之詞賦皆學者所宜蒐討而畋漁譬諸大官之庖美醞珍肴盡人饜飫茲編所選者不過少日之所誦習猶嘗臠屈芰取足吾之所嗜而已兒子景煃景燧景焴讀書家塾粗解章句近乃取入學堂從事於西文科學慮其才力不能兼綜而舊學之日蕪也乃以是編授之並謹述　彝訓著之簡端俾稍識學問之徑涂文章之軌範果能守而勿失曾曾小子庶有造乎

晏海澄先生年譜序

前清宣統己酉晏公安瀾考察淮浙鹽務歸朝上書度支部歷陳鹺綱積弊非一事權齊法制不爲功尙書澤公韙之言於朝旋奉明詔設鹽政院簡公爲院丞余亦任爲參事時度支部方委余淸理財政事叢劇不能兼雖繫籍鹽院一切但秉公指揮受成而已迨民國初余任鹽務處總辦繼公之後始盡讀公所爲奏疏公牘於歷朝鹽法之沿革各省鹽務之利病如數家珍如見垣一方乃益歎公規畫之遠綜覈之精爲不可及也公早歲通籍郎官戶部筦禺筴者三十餘年洎擢鹽政院丞騤騤大用矣而國事遽變再出爲四川鹽運使在官六載既去而民思建祠以祀並呈請史館立傳蓋遺愛之入人深矣公之治鹽也大抵

順人情因地利酌古之則準今之宜利導整齊以足國便民爲主其在蜀也値川鹽試行就場征稅課食大紬公爲規復官運疏綱恤竈積困始蘇故民尤德之凡當官政蹟國有史墓有誌祠有碑無煩殫述余獨就公談論鹽政要指爲平日所習聞者敬舉一二以告當世公之言曰吾國鹽務肇於秦漢以前盛於唐宋以後經數千年之因革損益文書如東笥法令如積薪論其善者則管子之計釜鍾劉晏之置亭戶實爲百代談鹽法者所祖而與今日事勢實已不同不善師之轉爲桑孔權鹽之術矣又曰李雯言就場征稅一稅之後不問所之天下皆私鹽天下皆官鹽矣此書生之見也鹽產於灘價僅一二文稅於官者且數十倍販私利巨孰願經此一稅者今鹽稅所入什伯於唐

宋稅愈重則私愈多謂一稅之後天下皆官鹽其誰敢信不問所之則商販操奇計贏爭趨利便窮僻邊瘠之鄉民皆淡食矣又曰鹽務本叢奸之藪弊在官者去其泰甚利在民者留其有餘乾嘉朝公私豐富鹽利之散於民者歲數千萬園林歌舞之盛輿服宴饌之華冗官游客販夫竈丁仰而衣食者不下數十萬人舉國皆知其弊蠹而英君賢相不肯毅然剷除者借此爲保富散財之術也道咸以後鹺業漸成弩末無復往日之豪華而國計民生反因之而日困其故可思矣蓋公所言者皆深明治體有古名臣識度使展其蘊蓄則勳業卓卓所建樹必不止此世但推爲琦晏一流尙非眞知公者公自四川解官歸逾年卒於京邸民國八年三月也今年春令子樹昌編次公年譜告

成屬余爲序距公之卒歲星周矣朝市已遷曹司星散欲談舊事而寮友皆無在者今讀公年譜一展卷而議論丰采如在目前執筆以記緒言不禁悲且感也

范寅伯詩序

詩教之盛衰關於世運之否泰與人心之憂樂宇內太和人文份戫清明温厚之氣醖而爲詩鯨鏗春麗諧金石而叶宮商與天之卿雲地之器車榮光休氣參伍協應論其世者有餘慕焉降及叔季板蕩民勞憔悴專壹之士傷時感遇其詩如么弦獨張朔管孤引使讀之者凄神寒骨寂寥寡懽又其下者以險詭爲高奇以艱澀爲古奧以枯槁槎枒爲瘦勁如出於神林鬼塚幽幽然鴞語而猩啼而詩教衰矣風氣所趨雖志士才人有不能自振者今觀於寅伯之詩而獨有異焉余與寅伯交四十年矣其爲人也天懷温粹意思芳馨自其少年時即以文藻驚豔爲同輩所推伏中歲南浮江湘北走燕趙與當世賢豪獵纓挾轂角

逐壇坫者二十餘年老不得志歸卧於荒江老屋之間歲華晼晚人事代謝擊燕市之筑操雍門之琴摩挲灞陵之金狄宜乎鬱伊結轖自鳴其不平乃覲所爲古近體詩溫然而玉潤熠然而珠輝杼軸性靈原本騷雅渢渢乎能移我情至其憑弔舊都諸作以紉蘭佩茝之思寓閔黍傷薇之意雖聲情沈鬱而無危苦之語噍殺之音蓋學養醇粹茹和飲醕胸中浩然不爲物累其身世則昭諫元英也而懷抱則香山玉局也余方寸之中五嶽稜起酒酣以往時復作變徵之聲讀君之詩竊自媿性情之近褊矣君年已七十而紺髮靑瞳煉顏如玉論者謂沖襟雅量爲致壽之原今以詩卜之而益信大年之未艾也

仁安堂文集序

余主計山左幕中多才士其尤著者曰許子彝定嚴子堯卿堯卿志潔而行清其爲文古雅遒峭才藻秀豔以庚子山徐孝穆爲宗彝定則學贍而才敏摛毫援簡鋒發韻流其文雅健雄深練達時務於陳龍川葉水心爲近二君者學術造詣雖不同要皆一時之儁也堯卿淸羸善病逾歲即假歸獨彝定與余周旋最久投契尤深比歲南北睽離而書問往復無虛月近以所編仁安堂文集索序於余余既序堯卿之文矣辱君諈諉又奚敢辭余之交君也在光緒丁酉歲同學爲文會督余評校君年甚少而所作獨能鎔鍊經史根柢槃深余驚異之謂丹山萬里指日飛騰矣是秋君果膺鄉薦同學羣推余識鑒實則珠光劍氣奕奕

照人不待識者而始知也厥後同官京朝談讌過從交誼日密君方治經世學財政法律尤號專門才名祿於輩下踔厲建樹方將犴青雲而直上適會政變遽棄官歸迨余任長蘆運使禮羅入幕自是歷官京外兩佐計政金穀叢瑣文書闐委一埤遺君君左操籌右握管鉥擿鉤剔處斷若流其論事也如衡稱物如鑑取形余始重君之才至是乃益服君之識也君天懷寧淡厭徵逐惡奔競獨與余有芥珀之投雖艱危顛沛之中相從不舍余既謝政君亦勸遊與堯卿從容肆志歗咏於湖山泉石之間品誼之峻潔襟抱之蕭閒望之如白鶴朱霞邈然遠矣余掇拾燼餘編爲雲在山房叢稿君實助余蒐輯校讎余叢殘文字半付刦灰君則巨製宏裁裒然成集余煢踽獨行喁于寡和君

則門牆著錄才彥如雲此事㫖有定評傳不傳及身已定
異日名山緗素流布宇內余以弁言簡首姓名得附大集
以傳豈不幸哉豈不幸哉

治平統鑑節要序

論治術者得史而雜得經而純論學術者得史而粗得經而精古無經史之分也以事言之爲史以道言之爲經（陽明語）自羲軒以降典墳以外蕪辭異說不合乎道者蓋亦多矣孔子贊修刪定折衷於大道而後六經之訓炳若日星故尙書春秋史之體而經之理也三代後乃別爲史馬班以下作者日興識不足鑒別萬流學不足網羅百代記載駁雜是非多謬於聖人讀史者欲別白事之得失人之邪正何所據以折衷乎曰仍折衷於孔子而已孔子紹二帝三王之道統爲萬世開太平手定羣經述而不作而其精神運量全見於魯論二十篇曾子傳之爲大學子思述之爲中庸鄒嶧衍其緒而爲孟子七篇聖功王道燦然而大

明矣宋儒遂以學庸論孟列爲四書童蒙入塾卽授以四
書章句四書卒業乃治羣經羣經卒業乃治諸史蓋以四
書爲主而後讀經始有條理讀史始有權衡其理博大精
深任舉一二言皆足爲古今治亂之龜鑑讀節用愛人之
語而知恭儉可以致太平讀財聚民散之言而知貪虐足
以召危亂大盜之起由於好勇疾貧賊民之興由於無禮
無學漢之鉤黨激於危言晉之清談誤於小慧患得患失
直抉神姦巨蠹之肺肝不孫與怨曲盡宮妾宦官之情狀
凡此數端特舉其大者外此精言奧義悉數之而不能終
乃歎孔子爲千古之儒宗四書爲千古之政要也顏習齋曰論語
孔子之經濟講也漢以來五經立於學官宋以來四書著於功令
師儒講授僮誦習衿珮秩秩庠序莘莘宜可臻道一風

同之盛矣乃所用者不過管商黃老申韓之術政治流於雜霸人才多出於權謀厥故安在蓋後世政教分歧俗儒記誦佔畢以爲干祿之階其上者攻箋疏之學講性命之談不復究其義以施諸實用於是經學貽空疏之誚儒術蒙迂闊之譏聖道之不明非一日矣族祖章甫先生履道幽貞儒行端粹憫世運之晦盲立說著書慨然以覺世牖民爲己任所著治平統鑑以四書五經爲綱歷史爲目分三部十二類七十二篇都五十餘萬言總古今包中外洋洋乎名山之大業也余既序而梓之又慮文博事繁初學未能卒業乃就原書體例而併省之專以四書爲綱而取歷史事蹟可法可戒者比附而證明之名曰治平統鑑節要凡十二卷爲家塾課本大旨以修身明倫爲本由誠正

以底治平猶是先生之本旨也吾黨之士童而習之奉孔教爲依歸然後讀經以求治道讀史以觀治法處爲周程張朱出爲葛陸范馬是則先生著書之微意也夫

贈宋漢章序

惲子居書貨殖傳曰三代之後仕者惟循吏酷吏佞幸三途其餘心力異於人者不歸儒林則歸游俠歸貨殖天下盡於此矣嗟乎豈其然哉今世仕者惟出佞幸儒術亦絀而弗用世之所重者獨貨殖與游俠兩途而已天下之財聚之以貨殖散之以游俠其道相背而實相成白圭猗頓諸人貨殖之豪也朱家劇孟諸人游俠之雄也兼之者其惟范蠡乎史稱蠡治產積居累致千金散與貧交蓋沼吳之後功成身去而雄心壯氣不能坐耗於荒江寂寞之濱故以貨殖用其才以游俠行其志其心力誠有異於人者餘姚宋君漢章負經濟才著聲於商界者三十餘年而主上海中國銀行最久上海爲通商巨埠百貨之所委輸五

洲航輩之所交集君信義才望既爲中外紳商所服權衡
金貨劑其盈虛陽闢陰闔機牙四應官府籌餉募債有所
號召得君一言而事立集蓋其心計精敏洞明貨殖之妙
用而重然諾急公義疏財廣交實類游俠者之所爲不專
以廢著鬻財爲務者故措置雖僅上海一隅而名聲昭祿
於國內余雖未識君而慕君之名與其行誼嘗有意乎其
爲人也吾友葉君荇仙書來述君之意索余贈言君所交
多賢豪而鄙劣如余亦使附於文字之末其奚敢辭吾聞
浙中山水雄秀實生異才其人慷慨好奇計善治生多殖
産鉅萬范蠡之遺風也而君之傑然出於衆人者非但心
力有異於人尤以公誠廉正爲衆所推服然則君之所重
者又在此而不在彼也

光祿大夫候補三品京堂伯父京卿公行狀

皇曾祖考諱陛菼誥贈光祿大夫妣氏劉詔旌節孝誥

贈一品太夫人

皇祖考諱紹基蘇州府學教授誥贈光祿大夫妣氏高

氏施誥贈一品太夫人

皇考諱延俊道光丁未進士山東肥城縣知縣入祀肥

城名宦祠誥贈光祿大夫妣氏侯誥贈一品太夫人

公姓楊氏諱宗濂號藝芳晚號潛齋主人先世居無錫縣之北鄉寺頭鎮八世祖文叔公諱英始入居縣城五世祖若千公諱度汪乾隆丙辰博學鴻詞始遷居城北下塘鴻博第名宦公生子五人公其長也生而英特神宇嶷然見者知爲偉器名宦公以文學政事名當世公幼承庭誥卓

志茂文博綜羣典顧屢躓於有司之試以咸豐乙卯謄錄援例爲戸部員外郎京朝士大夫狃承平故習矜尙文雅以不治曹事爲高公獨慨然曰海內多事吾不能復爲章句儒矣迺屏棄舉業壹志治經世學晝則入曹治官書歸則杜門著錄籌鐙鉗楮丹鉛滿几㡧自兵刑農田河渠漕運鹽鐵之制靡不綜貫蓋異日用世之略基於此矣己未名宦公卒於官營葬甫畢而粵寇東竄踞邑城放兵四掠則奉侯太夫人避兵他徙而自哀民團角賊輒勝從者逾萬人遠近響應無何東南郡縣相繼淪陷孤軍搏戰鑲械不繼乃謝遣其眾偕錢敏肅公鼎銘溯江抵安慶謁曾文正公痛哭乞師陳籌餉進兵之策文正感動留公幕中時一府之士皆賢豪魁傑文正獨稱公曰宅心誠慤勇於赴

事他日必能任重致遠然伉直少機變恐入世多枘鑿耳
同治壬戌隨李文忠公東下自募一旅號濂字營爲諸軍
嚮導迭克名城獮剿冦大小數十戰皆親歷行間方劉公
銘傳進勦江陰公以所部守楊舍賊大隊來攻設奇邀擊
大破之自是不敢再犯劉公亦恃此無後顧憂江陰既復
偕劉公進規無錫獨當前鋒擊敗援冦數萬與僞潮王黃
子澄鏖戰於北門深夜奪門而入先至僞館收其魚鱗圖
册爲兩邑清糧計常郡之克公督隊攻西門躡浮橋以進
馬蹶落水左右急援起仍揮兵奮進肉薄登城生擒僞護
王陳坤書是役也公實首功焉先是大軍圍常郡賊急攻
奔牛以掣我軍郭公松林分兵救之而以公與劉公守河
橋軍既渡賊悉銳猛攻欲要我歸路公守橋東劉公守橋

西膊戰竟日從者死傷山積卒大破之郭公亦解奔牛之圍遂與大軍併力克常郡郡縣初復流民四歸掘草根且盡日踣於道公通牒大府移書各營爲民請命先發賊遺粟萬石振之全活無算士大夫來歸者悉館餐之資遣還鄉里江南肅清奉檄總常鎮二郡營田事招主客戶墾荒二年田益闢得數十萬頃丁卯隨文忠移師勦捻總理營務盡護諸軍湘淮軍制以營務處爲要職自贊畫戎機判決軍事以及衣糧之供餽文檄之交馳靡鉅靡纖無一不當問公高掌遠蹠機牙四應一切措置方略文忠深倚重之以爲不僅知兵事也時諸將皆起田間競勳伐氣頡頏不相下公獨雍容儒雅每於談笑間排釋紛難各得其懽心軍中往往指目爲長者與張靖達公樹聲劉壯肅公銘

傳張勤果公曜宋忠勤公慶郭武壯公松林周武壯公盛
傳剛敏公盛波等傾衿結納皆奉樽酒訂舅弟交雖居中
運籌未嘗專閫而丰采隱然系全軍之望焉山左平原千
里賊騎剽忽僉議限以長墻令諸軍畫地分守賊困而鋌
走偵知王公心安一軍備稍懈乘虛奔軼遂躪泰安文忠
怒檄公按狀公至則坐帳中召王公詰之曰今日之事義
不得顧私能以三日內破賊者當爲君地王公退召其衆
曰今日進則死於賊退則死於法等死也死賊可乎遂膊
賊於泰安城外擒斬無算立解泰安之圍乃上功幕府請
貰其罪自後卒成名將大軍所至檄州縣索官車吏民交
困公隨名宦公任所習知其弊至是議請立車營行軍所
需官爲儲峙羽書朝至旌旗夕發無稽留無騷擾卒用是

以成大勳積功洊擢道員加布政使銜賞戴花翎之官楚
北權荊宜施道旋筦榷新關新關綰轂吳楚竹木萬栰乘
流出江稅最饒公至則嚴偷漏禁需索杜侵漁商民大懽
緡入倍羨壬午冬以侯太夫人疾請假歸省會有齮之者
摭事上聞當事鉤稽簿籍卒不得毫毛私猶以擅離職守
罷歸歸而築濟廬於惠山奉侯太夫人日遊其中蒔花種
竹幅巾嘯歌有終焉之志會北洋初設武備學堂用德意
志材官教授兵略諸生皆淮右將家子氣盈以囂不可羈
縛當道知公之老於軍旅也專疏特起總堂事既至慴以
威惠皆拱手受約束期年間步伐擊刺營陣測祘圖繪悉
中程度暇則採取兵法分門編訂成學堂課程八卷諸生
奉爲祕笈轉相授受厥後南北洋新軍營制各省武備學

堂學規皆以是書爲綿蕞諸生之握兵柄膺閫寄者趾相接也酳賢親王閱兵天津一見傾賞歸言於朝遂以庚寅五月拜分巡通永之命時三輔大潦流亡襁屬公雨中受篆即假便宜發縕粟以廩饑民手書乞糴於東南而自捐廉俸爲之倡絮衣銀米連檣而至迺遴請京紳分主振事貧民數十萬人計口授食戶有籍里有册圭撮必均絲粟無隱其老疾孤寡之無歸者設煖廠以收之口晝心程寢饋俱廢兼尹吳縣潘文勤公祖蔭壽陽祁文恪公世長府尹儀徵陳公彝天門胡公聘之皆傾心倚任朝野交口稱頌以爲雖富弼之在青州無以過也既又建議籌振救患於已然籌工防患於未然畿輔九河淤淺尾閭宣洩不暢一遇霪潦將復成災宜援明徐貞明國朝怡賢親王故事

大治水利修渠樹防以毖後患乃策騎周歷潮白青龍薊運北運通惠永清各河繪圖估工同時並舉公躬歷堤所與畚夫走卒相慰勞禁郡縣供張時時入村落詢父老疾苦所至焚香環跽役始於辛卯仲春九閱月而事竣用帑僅十餘萬金闢膏腴數萬頃畿內士民刊碑而頌德焉壬辰冬以侯太夫人憂去官服闋授山西河東道筦河南山西陝西三省鹽務疏綱剔蠹奏課稱最以協餉勞加頭品頂戴賞給三代一品封典嘗一權山西布政使兩權按察使中丞天門胡公虛襟諮訪奏設武備學堂商務局皆總其成晉俗樸僿厚地藏寶民世凋攰吏治尤瘝胡公宏覽劬慮博搜利源萬彙畢達而守舊者陰尼其成設施未半公遽遷長蘆鹽運使以行而胡公亦不安其位矣己亥冬

蒞長蘆任甫半年而值庚子之變聯軍進薄津城公督蘆勇四營登陴守禦凡數十晝夜飛丸裂左脛暈絕復蘇猶裹創强起治軍城陷後督衆巷戰右股復受傷先奉寄諭飭赴保定一帶督辦諸軍糧臺至是遂遵旨移駐滄州就南告築鹽以濟餉課時蘆商避兵星散洋兵佔鹽坨侵銷內地官引不行公馳詣京邸謁商全權大臣照會各國公使據約力爭遂收回灘坨存鹽百餘萬包籌欵分濟商竈俾復舊業蓋自兵燹以後鹺綱掃地卒能從容斡旋掇拾煨燼不一載而課引復額庫藏復充其艱難杌隉之狀有不能殫述者而公以思慮過劬得頭目暈眩之症津事既定累牘乞休制府袁公惜公之去而又不忍以吏事困之也適北洋議創辦紡織以抵漏卮袁公專疏論薦壬寅九

月奉旨以三品京堂候補督辦順直紡織事務十月假歸里門宿疾復發調治半載稍痊癸卯八月假裝北上抵滬後坐船脣夜話猝覺左肢運掉不靈狀類中風中途折回具疏乞休奉旨俞允公自早歲筮仕戎旃宦轍馳驅南北四十餘年至是得遂初服每遇春秋佳日居潛廬別墅以圖書花木自娛歸後二年病終里第光緒三十二年丙午六月十七日也春秋七十有五大吏以聞奉旨入祀淮軍昭忠祠國史館立傳公內行純篤事侯太夫人終身若童孺昆弟之愛老而彌摯卵翼諸姪如子親族之孤苦者指囷給緍無虛日德量深湛待人處事粹然一本於至誠不知人世有機械事同時輩流大都踐台鼎秉旄鉞公獨偃仰一官位不滿德終身有憂患無安樂而天懷超曠無幾

微不平色喜賓禮文士獎擢寒畯恆斥鉅貲脩黌舍備膏膳所至流聲生平精力絕人壯登仕籍以逮耆艾手批文牘兼治書札矻矻至丙夜不休爲文委曲詳盡長於論事削稿盈篋皆經世文也著有聊自娛齋詩文集藏於家配孫夫人誥封一品夫人子壽樞光緒己丑舉人花翎三品銜候補五品京堂署光祿寺少卿軍機處領班章京政務處總辦壽植花翎在任候選知府直隸景州知州署安州知州壽楣光緒庚子舉人花翎三品銜山西候補道女二長字同邑世襲雲騎尉候光鑠未嫁殤次適同邑署山東永阜場大使朱金唐孫五人景熙分省補用縣丞景燾三品廕生戶部員外郎景煦保定陸軍小學堂學生景煥景焜孫女四人曾孫三人世增世塤世垣曾孫女二壽桐於

猶子中受恩最深相從最久於公生平勳閥政績知之較
詳謹和淚濡墨稍加詮次上諸史館謹狀

顧望之先生墓表

吾友顧子恩溥恩瀚手其先人之行狀涕泣而言曰嗚呼吾父亮德清節宜颺於時而位不過丞尉年不逮中壽某等茹痛嬰酷於茲二年今兆已封矣而墓碣無刻詞懼先烈之湮墜而重滋吾戾也謹詮敘什一以屬吾子將載諸家乘以勖我子孫余不敢辭按狀公諱昱字望之無錫顧氏十一世祖可久明廣東副使正德嘉靖間以直言兩受廷杖世所稱洞陽先生者也曾祖楹祖廷煥父堉福建晉江縣知縣公生而孤露植志砥學嶷然自立弱冠遭寇亂陷賊中以計脫去崎嶇江淮間爲州郡掌書記亂定而生計益絀乃入貲爲縣尉非所好也既而歎曰是豈不足爲政耶大吏廉其材稍試以事叢劇辦肅遂歷守頼上渦陽

宿松尉調三河巡檢遷潁州府經歷超主簿監潁州阜陽釐稅服官三十年終始一節不肯隨世俗圓轉處脂膏地無毫毛私坐是家益貧而宦亦不達生平宦轍多在潁濱習知其風土利病自薦紳耆老下至販夫擔豎交口稱爲長者位雖卑而聲績常出守令上其所盡瘁則尤在振事云光緒十四年秋河决鄭州齧淮汝鳳潁二郡受其衝災尤烈任觀察蘭生主振事檄公爲佐俾主潁州一道從民望也公既受檄則具舟載糗糒溯流以拯溺者既又立淸查之法籍戶之上下口之大小書之冊爲給粟之所若干相其遠近使各以其便受粟條綜周密里胥斂手不敢欺寒者衣之病者藥之道殣者瘞之每短衣草笠足繭四鄉暑雨炎蒸窮冬冰雪深泥積潦十步九躓飢渴顛頓而不

以爲勞嘗載粟至災區中途冰膠舟不得進公具疏而禱於神翼日冰立解榜夫僤卒萬口歡忭以爲神助任事三年全活無慮數十萬人而公之精力亦自此瘁矣去之日婦孺夾道執香跪送有流涕者中丞儀徵陳公亟稱曰顧尉誠好官惜秩微耳上其勞晉一階並予五品冠服公天性和易與人姁姁然儒者也而臨事果決精敏老吏無能迴其筆在阜陽讞局亭平疑獄摘奸如神王七者劇盜也吏捕之急則賄取他人承之讞定矣公察其狀知有異陰緩其獄而責吏別緝越九日果得眞盜一州皆驚其他決獄之術多類是由是民譽翔洽稱爲神明居官廉於財厨傳蕭然而賓客恆滿時傾橐以賙人急或勸爲子孫計者則曰吾以貧故不擇仕得餬口足矣積金而囊帛吾則恥

之故其榷阜陽稅也不受胥役耳語不手一無名錢勾會考校絲粟不得隱漏先是籌振時故得痰飲疾至是益劇遂以光緒二十一年五月十八日卒於潁州寓次春秋五十有八潁之吏民哭泣相弔爭歸貨財恩溥拒不受曰恐傷先人志也戚族之宦於皖者爲經紀其喪而歸之於是潁之父老相聚而謀曰惟公德施於民於法宜祀今治譜在官口碑在野而俎豆不治何以慰吾民謳吟尸祝之思乃合詞上請祔祀於中丞英翰公祠禮也配王宜人以恭儉助成淸德子三恩溥恩瀚皆邑庠生恩沐幼女二長適華次字侯以某年月日葬於某原公內行雍飭生平尤多隱德事詳在家傳不具著著其治行以詔來者

福建南安縣知事章君墓志銘

妹聟章君紱雲以疾卒於蘇州返葬江陰其孤作霖作楫書來乞銘嗚呼紱雲少於余者四歲曩嘗語君異日當銘吾藏也今乃銘君君諱廷華字紱雲世爲江蘇江陰人曾祖大麟祖培慶世有隱德父成達廪生早卒本生父成義同治庚午舉人直隸延慶州知州當世稱爲循吏君幼承庭訓砥行殖學不督而成爲人氣和而行淸於事之是非人之賢否咸別白不爽而待人溫溫無圭角莅官居家一以廉靜慈仁爲本其治學也含茹經史根厚柢深發爲詩文沖夷醇粹如其爲人延慶公解組歸將建義莊贍族未成遽卒君敬承遺命督諸弟刻苦自立卒成先志癸巳補邑庠生丁祖母承重憂服闋一應鄉試而科舉罷遂壹意

治經世學江蘇學使唐公奇君文咨送北京大學文科從林長廬郭服初先生遊益肆力古文上溯周秦兩漢下逮唐宋諸家皆能冥搜眞蘊洞啟扃鍵著論文瑣言讀者咸服其精識畢業授度支部七品小京官余方以參議淸理國內財政欲得君爲佐而君逆知政變亟棄官歸壬子余任長蘆運使以君筦昌延榷局課最逾歲復辭歸蓋君母龔太夫人嬰篤疾迄老弗瘳君宦學四方歲時恆歸省而不忍與母久離也甲寅復出任福建高等審判廳書記官長以母病假歸未幾丁母憂服闋會外交總長陸公徵祥山東巡按使蔡公儒楷交章薦君遂以知事分福建補用旋知南安縣事南安山邑多盜民植黨衆邑西鄉九溪者巖箐深密爲盜窟亦爲煙藪君請於大府督軍入山捕治

盜遂解散復勸鄉民拔煙苗改藝五穀身歷三十餘鄉兩月而事竣於是課農桑興學校政成民和謳吟載途以爲數十年無此官也而君以積勞成疾未滿歲遽謁告歸紳民籲留不得則競爲詩以張其行所傳柳城鴻雪集是也己未再出爲江西高等審判廳書記官長不久復棄去季世吏道日媮君守正義度不能諧俗遂不復出歸里後集勝流日結社觴詠其詩初學中唐晚宗蘇陸所著勺軒詩鈔爲邑先輩繆藝風金粟香所歎賞閩詩人陳石遺選入近代詩鈔中其論文頊言余亦采入雲在山房叢書遺文在篋尙無定本輒不禁泫然君始負用世志旣鬱不得施乃以詩文問世非夙志也產故不饒以勤於治生恆若有餘余嘗過君家見庭宇塲圃掃除潔淸瓜疇芋區豚欄雞

晨王山哥頁高

塒位置井井吾妹青碏操作子女讀書聲琅然舉家熙熙有自得之色余謂此生人之至樂而益歎君治家之法爲不可及也君雖傲然退休乎然於鄉里善事銳身堅行不肯少撓避嘗佐淮北工振蕆事未嘗言勞江陰面江負山爲軍事扼塞甲子冬躪於兵君倡設兵災善後會民始復業今春兵事再作君偕紳耆犒慰其軍得無恙民治更始人情驟違故常君居鄉和易不攖眾忌然亦墨墨不自安舉室至蘇州爲作楫娶婦移寓甫三日夜半遘危疾猝卒丁卯夏歷四月十八日也春秋五十有六以某月某日葬於某鄉某原配楊氏吾仲妹也子作霖作楫女二君體狀英碩天性寬厚論者謂宜享大年乃洊涉世變轉徙兵間感時憤事侘傺以終嗚呼傷哉吾妹治家一守成榘作霖

作楫恂恂孝謹蓋能保其家者也君其可無恨銘曰
衆方詭遇競儇巧君獨葆眞厲素操解綬嬉敖齒未髦川
蟠林潛韜厥曜終以幽憂隕靈寶鬱鬱松阡神所保窆之石
鐫辭貧君兆

亡兒景烋壙志

長男景烋生於光緒辛卯七月初八日沒於甲辰二月二十九日年十四葬於小菱灣祖塋之旁兒之生也值先大夫五十壽稱觴前半月得孫九月余捷京兆試先大夫以爲祥尤鍾愛之兒聰穎好學年十二讀諸經畢卽能爲文癸卯秋余北遊京師兒送至門外余撫之曰好讀書明歲見汝遊庠也甲辰二月兒應縣試後患喉疾庸醫投以涼劑遂不起臨死猶呼父也沒之夕余直宿於商曹夜半夢吾兒緣衣立榻前神色慘沮呼之不譍蘧然而覺越七日家書至吾兒竟以是夕沒矣嗚呼兒病吾不知兒沒吾不覩精神相感於數千里之外而父子之緣盡於一夢之中是可哀也已

任伯英先生家傳

先生姓任氏名殿榮號伯英無錫大渲人曾祖聚奎祖紹球父清士庠生　先大夫嘗從受業而先伯父觀察公爲作傳所謂春溪先生者也大渲居邑之西鄉襟湖枕山風土最勝居民治蠶桑穜魚藕擅陂池林圃之利或服賈走四方以貨殖致富而先生父子獨以儒起家春溪先生既以宿學爲大師門墻最盛先生學有家法操行清介敦信義重然諾急人之難爲里黨所推咸豐庚申之亂練民團自衛以兵法部勒子弟冦不敢犯一鄉獲全以功授五品銜亂平復業累試於有司不得志遂絕意進取家故貧不善治生藉脩脯以給余以光緒庚辰從先生遊　先大夫官溧陽訓導衙齋老屋數楹圖書充架中庭雜蒔花竹古

槐幢幢几牖皆綠師弟子擁書吟諷於其中先生貌和而
性嚴坐不箕立不倚夏不扇冬不爐其教人也實踐而躬
行其論學也由博而反約余治羣經卒業則授以資治通
鑑及文獻通考曰二十四史浩繁難讀熟此則歷朝之政
治典章盛衰沿革具在此矣余於是始知經世之學初學
爲文則授以昭明文選及姚氏古文辭類纂曰文章之道
奇偶相生千古文學之源流此二書盡之矣余於是始知
詞章之學尤篤好宋五子書曰此入道之階梯立身之矩
矱也余於是始知性理之學蓋少日習聞於師訓者如此
而先生學術之要指亦畧可見矣歲壬午余同里應試先
生解館歸遂不復出以某年月日卒於家年若干配某氏
先卒無子以弟之子爲嗣女一適張氏後四十年任氏修

輯宗譜其從孫傑乞余爲傳嗚呼先生白首窮經潛德弗
耀身世鬱鬱以布衣終門祚衰微遺文零落余小子所見
聞而記述者曾不及十之一二然猶愈於湮沒而無傳謹
執筆詮次俾載之家乘以詔後人

臨榆田氏姑婦節孝祠記

民國七年四月吉林督軍察哈爾都統田公韞山以旂節來京師贊决軍國大計既事假休歸臨榆謁田氏姑婦節孝祠諏吉迎主肅行祀事禮也惟督軍力勤爲國秉訓於家祖母孫太夫人暨賢母閻太夫人兩世節孝行聞於朝既荷褒錫紀諸彤史於是文武寮寀與邑之薦紳復合詞陳請建田氏姑婦節孝祠於臨榆縣本籍備春秋祭享經始於某年月日落成於某年月日爲堂室若干楹礲堅斵良不窳不華將事之日牲肥醴香籩爵靜潔將吏耆老咸會於庭冠裳劍佩峩峩翼翼四方觀禮者皆嗟歎以爲榮禮成屬壽枏爲之記謹按古者婦人無主殁祔於廟祭則同几爵謚從夫明有尊也然亦有異宮而別祀者如周祭

姜嫄魯祭仲子則又推本所生異於常典明有親也惟孫閻兩太夫人貞德懿節世載芳烈能勤鬻賢哲以興其宗於例宜旌於禮宜祀督軍秉持彝訓自致大名勳在旂鼎秩登貴富用能備物致禮以有廟祀而榮其親合乎古人稱善揚名之義可謂大孝也已民國四年壽楙司計山左督軍爲兗州鎭守使始獲定交因得備聞其家世竊以爲前古所稱劬躬肅後委祉者未有倫比宜有紀述以章盛德於祠之成也執筆而樂爲之記凡官閥行誼詳於碑誌不具書

重修貫華閣記

出惠山寺循繡嶂街而東一里許抵錫山麓折而南緣苔徑羊腸而上越黃公澗經蟹眼泉又東行二百餘步右轉而得平坡上有梵宇屏巖而枕壑曰忍草庵蓋蒼雪法師講經之舍而梁汾居士結社之場也地當巖坳境絕幽邃游屐罕至而維枯禪野衲瓶鉢之所栖止騷人墨客命儔歗咏於其間庵右有閣是爲貫華翼然三層高出松頂憑檻而望則九峰晴翠五湖煙雨如在几席而百里外之虎邱塔影亦隱現於殘霞夕照之間昔納蘭容若來游嘗與梁汾居士月夜登最高層屏從去梯汲松苓泉煮山茗清談竟夕容若親書閣額並留小像而去閣燬後像額俱失二百年來山阿寂寥清風雅藻湮沒於寒煙衰草之區余

少時屢至庵中憑弔故跡慨然有修復之志出山以後抗走風塵未酬夙願而松濤鐘梵月色泉聲未嘗不懸之夢想中也乙丑冬始規度遺址鳩工重建乃先屬吳君觀岱寫圖小閣三層長廊四繞閣外煙嵐萬疊雲壑窈深所謂中天積翠也古松十數株翠蓋虬枝臨風謖謖所謂響月松濤也綴以疏林怪石帶以曲磵清泉閣中二客幅巾道服一執卷一撫琴旁列棋枰茗碗香爐禪榻諸物薜蘿幽深外有白雲吾將終老乎其間矣圖成而賦工三月而工竣於第三層設龕祀梁汾容若兩居士並祔祀鄉先生若干人皆嘗結社讀書留翰墨緣於閣中者也是爲記

雲邁記

雲邁主人生於山水之鄉長於詩書之林年二十而出游走燕趙齊晉梁宋楚越之郊復涉大瀛海遍歷歐美各國南洋羣島行十萬里路仕宦三十年齒髮既衰始遂初服歸而築室於城西以其隙地闢爲小圃而命之曰雲邁既成屬秦子岐農爲之圖雲邁之地廣不四畝池居三之一微波淪漪瑩若碧玉池之上爲平臺廣三丈許半爲花塢臺之後爲樓三楹曰裘學樓藏書之所也下爲況梅齋貯列書畫鼎彝琴劍香爐棋枰筆牀茶竈軒窗洞敞湘簾四垂吾燕居之地也樓右有閣西面惠山夕陽下時紫翠萬狀名之曰晚翠下爲雲在山房俯瞰小沼紅鱗碧藻澹蕩其中名曰苓泉泉與池通中跨石梁亞以朱闌柳陰磐石

可奕可釣由裘學樓左轉折而北有小樓上爲卧室曰杏雨樓下爲書室曰香南精舍樓前疊石爲峯狀若游龍蜿蜒迤邐以趨於東南隅乃有巖洞窈如奥如曰小林屋傍峯爲亭曰拄笏吾以之望山臨池爲榭曰停琴吾以之佇月亭之後闢爲圓扉額曰雲邁以達於外圖至此而盡矣外此若保滋堂延秋軒滄粟齋雲逕樓脩竹吾廬非雲邁之所有故不圖客笑之曰子之居不過數畝耳無平泉草木之勝無金谷絲竹之豪奚足圖應之曰吾身之在天地問蝣羽耳吾居之在天地間蝸角耳前此數十年烟榛露蔓廢圃荒池吾童子時所釣游也今此之蒼顏華髮偃仰於芳林碧沼之間者卽昔日釣游之童子也後此數十年吾子孫能常保此土耶或他人偃仰於其間耶抑任其荒

穢復化爲榛蔓之場耶吾不得而知也適然而有之適然而居之卽適然而圖之又何容心於大小寓意於廢興也哉客曰善然則子亦適然記之可矣

思沖齋文鈔楊子味雲之所著也君博涉文史才藻冠時爰自綺歲蜚聲藝苑二十以後挾策遊幕府三十以後簪筆陟郎曹旣乃乘槎奉使遍歷歐美各邦南洋羣島洞悉古今中外政教禮俗盛衰强弱之原其文益閎博雋美多爲時傳誦生平尤精於計學官度支部參議時淸理財政創辦預算裁冗濫覈名實使天下財賦之籍悉總於京師所定章制至今奉爲程式海內推爲財政專家民國以來歇歷京外洊陟卿貳聲績益炳顧厄於時勢未竟厥施解組後杜門謝事以圖史花竹自娛蓋散帶衡門將以著書老矣所爲文稿不自收拾庚子燬於兵庚申燼于火存者不及什之一二故世之稱君者遂以政事掩其文章余爲搜羅選輯得若干篇分爲文鈔二卷奏議公牘二卷又駢

文一卷集中諸文不拘一體奏議論策取法於坡穎序記銘傳導源於歐曾駢文風格則在君家蓉裳吾家笠舫兩先生之間皆可傳也余論交垂四十年矣相知既深不能無述繕校既竟爰識數語而歸之涵宇顧思瀚跋

思沖齋文補鈔

庚午小陽月

壺公題

思沖齋文補鈔目錄

無錫楊壽枏著

西征前記

西征後記

德育寶鑑序

舉瀛寰之廣人類種族之繁戴髮含齒圓顱方趾稟五行之秀為萬物之靈同此形卽同此心同此心卽同此理縱觀千古橫覽五洲治亂興衰循環倚伏大抵重德育則治且安不重德育則亂且危灼若龜鑑理無或爽唐虞三代之盛膠庠學校道在明倫洙泗為萬世禮樂教化之宗門弟子皆身通六藝析而言之射御者體育也書數者智育也而禮樂則德育也教化衰學校廢淩夷至於戰國而慘禍極於嬴秦漢唐宋明敦崇儒術而風俗茂美國祚久長六朝五季蔑禮法寡廉恥而海內分崩蒼黎塗炭孰得孰失其效可覩矣而近世談新學者方且糠粃聖賢芻狗仁義創廢經之說著非孝之論邪說破道詖詞害政以視前

世抑且甚焉余嘗游歷歐美與彼國通儒碩彥縱論教育之要旨大抵崇倫理敦信義尤注重家庭教育以正蒙養之始基而於我國孔教莫不信仰推崇以爲與耶教博愛之旨相合然後歎德育之道亘古今貫中外此心此理無不同也族叔祖章甫先生謂欲躋中國於治安非提倡德育不可著有寰球名人德育寶鑑括六經之要旨採百國之寶書具聖賢救世之苦心爲士民共循之正軌余擬鳩貲多印以廣流傳因論德育關係之重以質吾國之有心世道者

長蘆鹽政紀要序

管子曰海王之國謹正鹽筴率戶口計釜鍾而給之實爲我國談鹽法者所祖當日齊之賜履北至無棣按史記索隱云無棣爲遼西孤竹今直隸永平府春秋地名攷略則云無棣溝名在今海豐慶雲兩縣二說雖殊然均隸長蘆境內煮海之利自昔已然嗣後漢設渤海鹽官唐置幽州鹽屯宋則滄鹽盛行河北明初設都轉於滄州號曰長蘆清康熙間移駐天津自前代定都燕京而津沽號爲左輔風雨所交航輦相屬鹽利走乎燕趙三河諸郡近且以餘力兼濟江淮長蘆遂爲全國所注重蘆鹽故有志卷帙稍繁尠能卒讀又值鹽務改革之際章制迭有變更余忝莅是職督率所屬於拓產疏銷各事宜規畫整頓日孳孳焉

適中央有編纂鹽政紀要之令乃就舊日鹺志提要删繁
參以近日沿革概畧以便覽觀纂成因題其簡端如此

仲妹浣芬憶蓉室詩鈔序

妹壻章君紱雲所著勺軒詩鈔余既爲排比付梓甥作霖作楫又以吾妹浣芬憶蓉室詩鈔寄余點定並乞序言嗚呼吾妹之亡已八月矣欲作哀辭而未成也乃爲此序以寫吾哀妹幼而聰慧五歲即隨余入家塾讀書十歲能誦楚辭唐詩從吾　母張太夫人授詩學尤工楷書姿態遒媚余每應書院課文成輒付妹寫錄並代作五言八韻詩得膏膳金則購果餌以酬之引諸幼妹奪棗爭梨以爲笑樂妹年十四而　張太夫人棄養每檢視吾　母手改詩草捧之長號自是專治女紅習婦事間作篇什不復示人既歸紱雲琴瑟靜好有頌椒賭茗之風紱雲宦學四方不問生産家事皆妹主之奉親孝課子嚴待僕御以恩接族

嫺以禮整葺門庭潔治場圃青裙炊汲操作如貧家心計尤精絲粟有籍闔中落然但聞書算聲産不豐而用節歲計常有餘至晚年而置宅一區入穀千石皆妹拮据經營之力也紱雲解官歸放意詩酒出與友朋遊而樂入見婦子熙熙而忘其憂晚罹兵燹倉皇轉徙室廬毀而復完紱雲亦憂生憫亂妹顧處之澹然也丁卯夏紱雲卒於蘇州妹乃傷痛成疾臥床簀者累年治之百方漸愈遂以家事付二子日惟温習書史或至中庭行散課僕婢種竹澆花以爲樂二子孝謹能順親心余嘗貽妹書曰母慈子孝此眞和氣人家足以慰暮境矣庚午妹年六十戒家人毋治觴七月舊疾復作竟以不起距誕辰僅五日也嗚呼傷哉吾同產姊妹七人長者近古稀幼者亦將半百每念白頭

手足相聚復有幾時方將返我舊廬重敘天倫之樂事孰知妹已不及待耶詩鈔爲紱雲生前所編次而屬謝君冶盦選定者凡五十餘首少作居多蓋自萱蔭早凋蓼莪廢讀嗣後在閨中則治酒漿織紝既嫁則司筐筥米鹽不復能專力吟詠贈外之篇思兄之什哭子之詞涉筆成章緣情摛感初無意於問世也然即此寥寥遺墨附勺軒詩鈔以傳亦足覘梁孟唱隨之樂矣昔吾　高祖母劉太夫人論詩謂閨閣詩以性情爲主才華次之妹詩語語真切實閨閣詩之正宗即余作此序亦語語自性情中流出雜憶舊事振筆書之不復計文章之工拙也

施襄臣函關秋振圖序

吾讀施君襄臣函關秋振圖不禁悁然而悲又復瞿然而作也嗚呼陝右奇災百年僅見哀哉斯民流離於鋒鏑之下復宛轉於溝壑之中而軍人者且如屠伯之操刀視吾民如羊豕任其刲宰獨賴仁人君子呼號奔走拯此孑遺方其冒烽火蒙霧露贏糧千里足繭四鄉夫豈有所驅迫而爲之哉顚連之狀觸於目悲憫之誠菀於心雖欲安居而不忍彼朱門酒肉之夫方酣嬉於笙歌紈綺之中覩監門流民之圖冥然不動論者每慨於人心仁暴之懸絕而疑天道之不平不知殺機方盛天地亦落於氣數之中降祥降殃惟人自召桀跖之徒千夫所指恣睢暴戾終隕其身而所謂仁人君子者手無斧柯家無宿舂惟仗此一念

之精誠爲民請命卒使人感其風義慷慨解囊觀於西北振災會登高一呼應者四集雖婦人孺子無不典簪瑱節果餌以充振資以此知秉彝好德人同此心雖當世運泯棼之會而善氣仍未盡牿亡也若施君者樂善根於性天行義著於鄉里曩在甲子之冬吾鄉爲亂兵所躪君以紅卍字會員出任救護功在梓桑自是丁卯春則有靖江之振戊辰夏則有沛甯之振是冬又有溧陽之振皆實心任事口不言勞是圖之作蓋寫災民之慘狀以激發人惻隱之心非汲汲焉自爲表襮也吾願覽是圖者人人抱己饑己溺之懷擴同與同胞之量舉世共臻仁壽於以消沴戾而迓祥和是則君所馨香禱祀者也

楊昀谷詩序

昀谷居士之沒也其友王子逸塘陳子誦洛經紀其喪而歸之復謀刊其遺詩屬予點校既卒業乃泚筆而序之曰嗚呼孰謂昀谷而果窮耶孰謂昀谷而竟死耶懷和采眞味道之腴駕風鞭霆翔於太虛謂君窮者境也其心則無入而不自得也謂君死者形也其精氣則無乎不之也君嘗登進士第陟郎曹改官於蜀非無意於用世者也晚經桑海脫屣妻孥居舊京二十年窮巷湫塵破書塞屋瓶粟屢罄巾褐蕭然迹其心事殆無異於王尼之露車袁閎之土室隱薇蕨之操而遯於佛鬱蘭椒之氣而託於詩其志潔其行廉古之獨行君子而今世之畸人也君於學無所不窺晚而專修淨業既沒視其篋得手寫之書百六十册

繭紙黝淡朱墨爛然博考四部旁通九流所纂錄無慮百萬餘言惜部居淆亂未克悉爲分類其詩雖有完本然亦多所竄改誦洛經歲排比爲寫定古今體詩五卷讀論語詩一卷懷人詩一卷妙峯唱和詩一卷商之遜塘先付剞劂君詩初學玉溪少年所作以隱彰縟麗爲工中歲出入唐宋諸家終乃服膺山谷顧其詩格不專主西江一派古淡之趣雋妙之思往往入王孟韋柳之室洎乎薰染妙香精研梵夾靈想玄悟都自華嚴法界中來嘗語余曰詩以自然爲妙以獨得爲奇思與道合神與天游不知漢魏何論唐宋蓋君平日論詩雅不取宗派之說所以能超心鍊冶直湊單微也又語余曰吾處朝市無異山林何必物外桃源方能避世哉窺其意似以逋翁妻梅子鶴未免俗情

而子陵垂釣桐江尙多一羊裘爲累也故其生平與世聱牙落落寡合官刑曹日與趙堯生胡潄唐齊名鼎革後居京師所與游者若陳弢庵樊樊山兩先生王病山陳石遺鄭叔進夏午詒羅掞東潘若海葉遐菴趙幼梅李釋戡曹纕蘅皆當世名流也晚而與逸塘誦洛爲金石交卒付以後事殆佛家所謂緣法者非歟余始識君在午詒齋中解帶寫誠遂同夙契頃歲同寓津門過從益數孤館蕭寂足音跫然晶飯一飽清言移晷茵席猶煖履綦已遙識君何遲別君何遽序君之詩不禁泫然也

橫雲景物略序

無錫爲東南壯縣雄富甲於三吳山水之勝尤擅名於寰宇運河之水自梁溪西注匯爲五里湖以入於震澤瀕湖諸山犇湧環抱巖巒競秀歸熙甫寶界山居記所謂重涯別隖幽谷曲隈無非仙靈之所棲息者往往而是自充山迤邐而下山趾斗入湖有巨石突峙俯瞰湖流如黿之出水而昂其首故俗稱爲黿頭渚云吾弟翰西既得此地闢爲別墅經營締搆者二十餘年倚山爲閣抱水爲廊精舍可以留賓廣庭可以召客帶以清池恠石綴以珍樹奇花春秋佳日遠近籃輿畫舫縱萃來遊皆以弟爲風月湖山之主於是標其山曰橫雲顏其墅曰橫雲山莊屬傅沅叔同年爲記復列舉山中景物輯爲是編寄余序之夫山居

者識煙雲朝暮之狀水行者辨風雨陰晴之候治農圃者諳花樹果蓏藝植培養之方凡事得之身經而目驗者言之倍親切而有味也余以甲戌春歸里嘗信宿山中雲峯霞嶠秀靚奇麗近在几席之前陟飛雲之閣倚澄瀾之堂俯瞰重湖萬頃一碧雲濤渺然目極千里之外擷山果以侑酒採溪毛以供饌雞黍之精潔蝦菜之芳鮮都非城市所有今覽是編覺煙水之味猶盎然於胸抱中也自前代以來士大夫治園林觴賓客管絃歌舞之場翰墨丹青之蹟大抵在九峰二泉之間此地僻處湖濱游屐罕至惟有風帆沙鳥往來而翔泊漁夫樵子上下而謳吟頃歲吾鄉人士始於環湖築道路建橋梁葺亭榭館舍以待四方游客林泉花石選勝而增華繡嶂纑塘之畔車馬轉稀而鼉

頭渚之名遂艷稱於人口乃歎名山靈境終古在天壤間待其人而始興至其時而始顯噫世變滄桑今昔盛衰之感豈獨在朝市也哉

王劭農先生七十壽序

昔唐白太傅退居東都放意文酒所居履道里擅亭沼花竹之勝今讀其池上篇所謂有叟在中白鬚飄然妻孥熙熙雞犬閑閑千載以下猶令人想慕宋歐陽文忠公被遇三朝其序內制集追念平生仕宦出處輒不勝玉堂天上之感觀二公之怡微若不同要其遭時盛隆恩禮終始進以直道自奮退亦爲風雅所宗高標逸韻先後一轍豈與夫山林枯槁之士蔭松柏友麋鹿沈冥而不反者哉我世伯劭農先生履蹈孝友至行純備以同治甲戌登第官工部當是時海宇清宴京朝士大夫風氣淵雅有昇平文物之遺先生以清才華秩迴翔省闥曹務多暇一意治經世學朝章國故靡不綜貫旁涉書畫尤擅精妙短縑醉墨落

筆爭爲人所傳顧素性耿介不汲汲事榮進居郎曹二十餘年始改官御史庚子以後朝野競言變法新舊聚訟漸成門戶先生獨侃侃持大體凡所論列必推本於政教學術國計民生之要旋由給諫出守新安一以寬厚淸靜爲治興學校課農桑置社倉通漕運期年政成治行上聞駸駸大用矣而先生久宦京師不樂外吏未考滿卽解組歸謝遺塵事居第在東華門外旁構精舍數椽顏曰澹靜草廬掃徑開軒還蒔花木棋枰茗碗琴韻爐香偃仰嘯詠悠然有物外之致晚年名益高品望益峻幅巾杖履風貌淸嚴一時朝士仰之如景星威鳳蓋自通籍以至懸車立朝垂三十餘年生際休明歷踐華膴名德純白天懷粹溫不知人世有機穽風波之事雖視白歐二公名位稍亞而遭

遇過之美意延年於茲益信又何待滅景雲棲導引吐納然後躡喬佺而侶松石也哉夫人郝氏生長華族亦以懿行淑德同享大年諸子弟鸞停鵠峙雍容矩矱長君紫彝官大理院掌典簿廳篆次君慕沂以農工商部郎簡授湖南勸業道叔露垣季嚮辰並繼踄郎署長孫翊唐由學堂畢業授官中書皆以文學政事有聲當世壹秉先生之教也今歲五月五日爲七秩雙慶京師人士凡識紫彝兄弟者莫不謂先生有園綺之風夫人有鍾郝之行遐齡龎福方始未艾其吉祥盛事固將蕃集駢臻而不可以豫量也已壽栟等與慕沂官同寅交同譜飫聞盛德誼當有述爰揚觶進祝以爲期頤之劵異日者天子徵求文獻興復古禮迎蒲輪於闕下齒國老於上庠當有白首耆艾之儒如

極榮高允其人膺盛典而光惰史者其必先生也夫

余生平作壽文甚多存一二首以備一格　自記

侯氏姑母七秩壽序 代伯父京卿公作

古者婦學無專書其說時時散見於詩禮葛覃之詩曰言告師氏言告言歸旣嫁而孝不衰於父母也內則亦言女子十年不出姆教婉娩聽從蓋自其在家時卽有保傅之訓圖史之文珩璜琚瑀之節織紝酒漿之事教之之具甚詳且備此陰教之本而婦學之極則也三代以後風紀亦稍替矣然如班昭女誡之所述劉向列女傳之所錄顏氏家訓之所采其壼範之謹族望之華彬彬雍雍可詠可宗傳之彤管亦其次也吾楊氏與侯氏世爲婚媾皆以詩書訓其後昆先妣侯太夫人恭儉慈惠治家有法閨門之中謹守禮度生宗濂等男女八人而大姊居長少而祓服母教嫻於書史太夫人督之嚴女功之暇躬執百役至於饎

爨縫紉廁牏浣濯之事無弗親也既長歸於外兄侯君輔廷迨事外王父少宰公外王母顧太夫人三代同堂慈孝無間方是時少宰公以碩德清望爲時名卿先考光祿公魁南宮出宰山左兩家門閥隆然以盛而吾姊處豐厚之中獨無紈綺珠玉之好操履樸素不改常度厥後洊更喪亂家事稍絀輔廷又早卒遺一子光鑅甫幼吾姊遭罹荼苦益自刻厲奉親教子能盡厥職其治家也一以太夫人爲法賓祭婚嫁之儀悉中禮度米鹽錢帛句稽出納之數皆有程式門庭藩溷之間埽除繕葺必肅以嚴自奉甚約而親友歲時饋問之禮必豐以贍遇貧乏者未嘗不量力以助之也蓋太夫人之德仁而厚其坤之所以爲貞乎吾姊之德靜而婉其巽之所以爲順乎嘗讀前史所傳列女

如嬰兒之孝桓婺之行鍾郝之禮法得其一節皆足稱賢吾姊所就雖不必遽比於古人然而柔儀令德執憲秉節以旌其閭以豐其家以翼其子孫以馴致於壽考康强之域此則門庭之慶族鄗之光其榮有逾於笄珈簟茀者矣光鑠恂恂孝謹克守先業其子詠沂嶷然成人已冠而婚吾姊始老而傳事茹齋奉佛捐棄俗慮神明益完容色益充蓋於是年七十矣光鑠將以九月之吉治觴於第內外之族皆往慶之宗濂竊惟古者嘉禮皆有祝辭秦漢以後遂有以歌辭爲壽者然綰綽之銘眉棃之頌雖厚德之所致非令儀之所存質家親親義取徵實用是詮敘往事綜述厥恉郵寄千里以侑一觴並使幼少者誌之爲吾兩家之閨範也

曾剛甫蟄庵詩存書後

前清之季余與剛甫同官度支部參議機要文字皆余與剛甫主之丞參廳南榮設長榻兩人聯坐各據一案日必草數奏剛甫學博而才敏舐墨鉗紙下筆颯颯然不移晷而就性耆書公事既了則擁卷吟諷榻上纍纍庋積皆古籍也辛亥政變剛甫方擢右丞遽致位而去鼎革後遂不復出嘗買田於天津之楊漕將以躬耕老矣會大潦盡喪其貲寄居京師潮州會館斥賣所藏書畫金石以易米窮居十六年以丙寅秋卒年六十自錄蟄庵詩存一卷友人葉遐菴爲之印行其跋王右丞集曰余官右丞時何敢高以詩戲曰此眞詩人官職也自愧文質無底何敢比輞川特以夙敦禪悅於公似有同情萬一他時有會則某甲雖

不識一字要須還他堂堂地做箇人觀此數語可以知剛甫之素守矣摩詰當天寶之末不能引決遂污僞命誦凝碧池詩世皆傷之今剛甫志潔行芳超然於塵壒之外其爲人何可及哉剛甫名習經廣東揭陽縣人光緒庚寅科進士官度支部右丞

唐蔚芝侍郎萬言書稿題後

嗚呼甲午中東之戰實我國國勢强弱一大關鍵也當是時朝野酣嬉懵於外事清流之士攘臂主戰議論激昂不知承平日久淮軍將帥暮氣已深倉卒用兵師熸地蹙烽燧四偪輦轂震驚余方待詔公車劌心鉥目深恨謀國之無人又恫士大夫意氣虛憍不審彼己之情以國家爲孤注之一擲也太倉唐蔚芝先生方官農曹感激發憤上萬言書於朝凡綱要十有四所言正人心奬氣節嚴賞罰正官常拔眞才各條則賈太傅陳政事之疏也聯邦交塞漏巵務農田辦團練置經略練水師各條則晁家令備邊塞之書也憂危國事徙薪徹土之謀曉暢戎機聚米畫沙之勢雖和議旋成所謀未用而其書爲常熟翁文恭師所激

賞朝士爭相傳誦胡澹菴之封章千金購募劉去華之制策萬本傳鈔而先生亦由是英英露頴鬱然負公輔之望矣厥後改官譯署奉使東西各邦洞悉中外政俗禮教盛衰强弱之原其文益閎博雋美歸國後創設商部超擢左丞洊升卿貳余亦由內閣改官商曹日接先生之議論丰采每與同官私議先生文章似蘇子瞻陳同父學問似馬貴與王深甯政治似陸敬輿李文饒道德似朱晦菴王陽明他日秉國鈞軸扶艱定傾位業勛名當是裴晉公韓魏公一流人物乃未幾丁內艱歸鼎革後遂不復出於吾邑設立國學專修館如胡安定以經義治事分齋課士二十年來學子莘莘人材蔚起枕經葄史著述等身鉅學高名爲當世儒林耆宿可謂盛矣吾嘗謂世運泯棼之日正學

盲晦之秋必有魁儒碩彥出於其間障狂瀾而綿墜緒東漢之季則康成箋注六經闡揚聖教爲百世儒宗隋唐之際則文中子教授河汾門下多才彌成貞觀太平之治傳經之澤歆以俎豆衞道之功烈於旂常先生以一身繫斯文之緒其功豈在古人下哉門下士崔君雲漕取萬言書原稿裝潢成卷督序於余先生衣鉢遍海內竹素壽名山游其門者第見其道德之閎深學問之淹博文章之淵雅而不知其政治之學實能貫穿今古融會中西惜乎未竟所用也滄流東逝羲晷西馳回憶甲午之冬關塞驚烽雪窗危涕此情此景忽忽四十餘年吾兩人俱已白首而外侮之偪更不如前新亭對泣時矣乃慨然援筆而書之

先室顧夫人事略

夫人爲同邑顧氏　外舅達孚公之次女也顧氏世席華膴而家規謹肅其婦女尤有温良勤樸之風夫人服習陰教加以明智年十九來歸時　先妣張太夫人已前卒入門後即綜持家政裁以禮法門內秩然　先考資政公亦喜得佳婦也　先考晚年食指繁而家用絀夫人每典簪珥以彌其缺不以告余　先考棄養夫人傾奩助余治喪葬大事既畢乃慨然曰長此負累非計也驟議減削非情也人各私其財自然節約矣遂勸余分遺產之四爲庶母贍老金及諸妹奩資俾各權其息以供所用一切得自由舉室翕然而歲費頓減戚黨交譽夫人能散財以和衆不知其心計之工也分產後所入益觳夫人節縮衣食堅苦

自持恥言稱貸曰吾寧爲坤道之吝決不仰面求人洎余
服官京外生計漸舒夫人不以豐約易度處官廨如私家
仍偕婢嫗操作灑掃浣濯事事躬親迨諸子授室老而傳
事猶不肯少休曰吾性樂此習勞正以養生也自奉淡泊
終身不肉食練裳布裙手自縫綴零縑殘炙不忍棄捐曰
物力艱難惜財正以養福也性坦易無城府喜聞吉祥事
一生常在愉悅之中去歲轉徙兵間始愴然有憫亂憂生
之意又聞故鄉戚族流離死亡之耗益慘戚不歡每語余
曰吾一婦人遭此世亂得先君死幸矣余私訝其言與平
昔不類嗚呼孰知其竟爲先兆耶夫人稟賦素厚年逾七
十鬋鬢尚玄貌益腴澤見者皆以爲耄耋之徵舊曆三月
二十日方據地浣衣驟覺頭痛左手足麻木運掉不靈舌

本蹇澀急延中西醫診視云是腦中血管破裂不易挽救自二十六日起神智昏迷終日沈睡叩之則云絕無痛苦綿歷五晝夜藥石無效氣息漸微至舊曆四月初一日亥刻竟舍我而長逝矣嗚呼傷哉余與夫人愛情專壹旁無妾媵自結褵以至白首同心黽勉五十餘年飲食起居胥賴夫人調護一旦先我而去死者已矣生者將何以堪余形質雖存而精魄已隨之消逝矣嗚呼傷哉夫人生於清同治七年戊辰九月十六日年七十有一余官農工商部誥封淑人官度支部晉封夫人生男女十人今存者五人男景熣景燧景焴女景暉景昉孫男四人世紱世縉世紳世綑孫女四人世綺世紈世繒世緗嗚呼夫人逝矣一瞑不覩無復罣礙獨余以衰病之身久戀斯世而不去使暮

年睹此悲慘之境古人以壽爲戚豈不然哉豈不然哉

西征前記

丁酉之夏壽枏遭先君子大故藁窀事畢慨然有遠遊之志適伯父觀察公陳臬晉陽馳書相招遂以戊戌二月癸酉首涂乙亥至上海淞濱花月耳目習經馬足車塵終日擾擾至三月甲申朔始登輪舟出吳淞口天日晴朗雲濤渺然胸次爲之一爽薄暮過蛇山舟稍簸蕩相傳山下風浪最惡雲氣冥冥白日常晦舟行至此咸有戒心山中舊爲盜藪通商以來置防營設塔燈萑苻絶迹矣乙酉渡黑水洋風微日晶海波如鏡有羣鴉飛繞檣側或云神鳥也丙戌晨過煙台渤海重鎮也北控津沽東扼旅順形勢隱然近歲倭犯遼東德據膠州門戸之外强鄰環伺何所恃而無恐哉丙戌夜半遙望燈火如星則已抵唐沽口矣丁

亥舍舟登陸乘火車至紫竹林相距九十里瞬息而達回憶乙未夏由津門乘火車至唐沽觀開平煤礦出山海關登角山望海時則倭氛不靖虎旅防邊東望松杏山河慨然想見龍興之蹟忽忽三年人事多乖時艱愈棘短衣長鋏又到燕南綠鬢如蓬黃塵如霧不勝身世之感也留天津三日辛卯登車出西關並小淸河行春水初生沿途低處皆成窪窪中捕魚人如鷗如鷺紛集水次夾堤多枯柳悲風四起林影蕭瑟江南三月草長鶯飛此則白草黃沙猶是初冬氣象也五十里宿王慶坨壬辰五十里至信安鎭又五十里宿霸州津通各屬水利不修其民呰窳偷生不事耕織勤者去而負擔惰者流爲操瓢故近畿諸鄉號爲凋攰入霸州界則廬舍修潔林木翳薈平疇如罫薺麥

初青頗似江南風景癸巳晨起微雨行數里雨止大風自西北來黃埃蔽日人馬咫尺不能辨衾枕衣履間簌簌皆塵土也四十里至孔家磚頭三十里宿小王家營甲午雞鳴登車殘月已墮疎星尙明蜷局車中蘧然入夢比醒則朝暉滿林矣五十里至上平莊五十五里宿保定保陽爲畿輔襟喉當昔海道未通四方冠蓋五都貨幣咸由此以府於京師今少衰矣然城邑宏峻廛肆殷賑實燕趙間一大都會也乙未六十里至方順橋三十里過望都縣堯母慶都之故里也有堯母祠未及謁又三十里宿清風店沿村婦孺丐錢者纍纍相錯入店則小女子挾琵琶嫐度曲解裝沽村釀聽之足資笑噱丙申三十里過定州又三十里至明月店二十五里過新樂縣渡沙河僅衣帶水耳又

四十里宿新城驛亦名柳林鋪自保陽至此爲晉豫入京孔道兩旁夾植官柳一望鬱森猶有古者列樹表道之意惟厲禁不申往往爲居民斧薪以去五里一鋪十里一亭冬防時駐兵以護行旅丁酉四十里至眞定府漢之常山郡也出眞定西關十里渡滹沱河寬僅十數丈水淺而流甚駛五六月間水大至廣可八九里彌望白沙無垠皆河身所淤也昔光武渡河冰合以爲神助其時冬令水涸亂流而渡未足爲奇世祖英謀睿斷邁越尋常用能翦除羣雄光復炎鼎而論者但舉昆陽雷雨蕪亭風雪侈爲受命之符無惑乎揭竿竊鈇之徒皆將援神鬼以行其誕也過滹沱五十里宿獲鹿縣戊戌出獲鹿城十餘里抵土門巖僕夫脂車束馬而後進山徑多碎石大者如罌小者如盌

輿輪鐵相激搡行三十里遥見岡脊兩石關高竦天半則東天門也亦名白皮嶺峻坂陡削形如長橋馬滑不能留蹄數人推挽始前下坡十里至灘水鎮日將晡矣又三十里過井陘縣時已曛黑圓月初升萬山蒼紫所歷皆巉巖峻坡下俯絕澗水聲如奔雷噴薄厓谷間奇險幽峭心骨爲悸又十里宿板橋己亥十五里至北天門自此入山西界矣十二里至固關卽古井陘口兩厓壁立中爲關門誠天險也關前設局收稅每車稅錢二百文每驢稅錢十五文至此路益艱峰益峻或方如案或圓如棋或傴如叟背或童如僧頂奇詭不可名狀入里至槐市坡三十里至西天門亦曰鏡山由山徑斗折而上四山環繞天隙圓光如鏡居民數十家自成村落又十里宿橋頭庚子三十五里

過平定州州爲三晉門戸東扼井陘西馳汾曲城市繁盛有富庶氣象出州城五里至南天門亦名黑砂嶺夙號第一險處上坡迤邐漸高不覺其峻登岡脊四望諸峰羅列皆在其下始知置身萬仞巔也下坡陡落百餘丈兩旁皆絕磵俯視爲悸南皮尚書撫晉時剷削修治護以石欄視曩昔之險十不四五矣而行者猶惴慄焉又四十里宿測石驛辛丑三十里至芹泉驛上土坡坡長二里許高與南天門等俯視山麓如盂四圍石壁峭立日光照映紫翠萬狀燦如屏幛下坡至土西陵日甫中也僕夫告馬瘏乃止宿烹雞沽酒小飲回憶江南櫻筍風味頗有蒓鱸之思壬寅四十五里宿什貼是日循山麓行路漸平坦有出險就夷之樂矣自井陘至此山中土作黑色下皆煤層也山居

煤賤於土惜運輸不易厚地藏寶而仰屋憂貧治晉者當以開礦築路爲第一政策癸卯八十里至太原省城謁伯父於輶軒館顧子淵若翰西十三弟皆在焉閏三月丁巳移居按察使署是行也歷水陸四千餘里爲役三十日風塵之瘁山水之奇筆之於書以備循覽光緒戊戌孟夏記於弁門官廨

西征後記

河東在太原西南九百六十里當雍豫之交終南爲屏大河爲帶沃饒近鹽俗儉而風淯歷代以來號爲重鎭我朝設河東兵備道兼筦驛傳水利鹽法事務治運城古郇瑕氏之地也伯父觀察公以丁酉夏授河東道明年二月權按察使事移節幷門而壽柟實來襄治幕事秋七月代者至復返於河東以是月庚辰首途出西關見大河前橫則汾水也時秋潦載途泥深沒踝僨車蹇馬行不得前從者墜車傷脇三十里宿小店辛巳二十里至雲口道益艱積潦深泥膠輪沒軸騾蹶不進乃投破店宿焉八月壬午朔三十里至徐溝縣又二十里日已暝泥潦益深騾屢策不前又十里宿羅村夜將半矣癸未三十里至祁縣祁奚之

采邑也帝堯生於丹陵徙於祁故曰伊者今祁縣堯城南五十里平陶卽堯始封地是日又雨至晚益甚車旁水聲淜滂如在舟中五十里宿平遙縣甲申冒雨行三十里宿張蘭鎮乙酉四十五里宿介休縣城西岡嶺綿亘皆綿山也縣南有綿上聚卽晉文所錫綿上之田縣東五里有郭林宗先生祠墓祠前漢槐一株大可十餘抱中心已空另生新幹亭亭直上入祠瞻謁遺像摩挲蔡中郎墓志原碑已失康熙中傳青主徵君補書重刻嗚呼東漢季年黨錮縱横名賢狼籍獨先生鴻冥鳳騫脫然不與其難史稱其介不違親貞不絕俗緬懷遺躅不禁慨然丙戌出介休城至冷泉關古謂之雀鼠谷騎而登山雲氣霏霏衣袂皆濕雨中山色益奇紺厓翠壁間時見琳宫梵宇出沒煙靄礀

底往往有人家鑿巖腹爲屋水木明瑟桑麻蔚然疑有隱君子茲歌其中不可得而訪也四十里至晉石三十里宿靈石縣丁亥雨甚留一日戊子雨止出靈石城五里登韓侯嶺通考所稱高壁鋪也山勢峻絶羊腸而上二十里至嶺上又羊腸而下二十里至嶺下宿仁義鎭相傳淮陰被誅鍾室函首送行在帝從代還命葬於此今嶺上有韓侯廟廟後有墓過者必憑弔焉方淮陰渡臨晉出井陘破趙壁傳檄燕齊意氣可謂盛矣迨乎後車收縛就邸長安乃鬱鬱羞與噲伍神鋒不藏卒召葅醢豈其才有餘而識不足歟陶朱晦迹於鴟夷留侯寄志於赤松卓哉先幾不可及矣己丑三十里至史莊又三十里宿霍州州東南霍山冀州之鎭也州城負山帶河形勢甚壯庚寅五十里至趙

城趙襄子之食邑城南十里有國士橋題曰豫讓遺蹟漁洋過此嘗題詩弔之自靈石至此峯嶺綿絡崇岡夾峙徑路詰曲如行衖中峯回厓斷則羣山環列五色交暎儼在畫圖三十里宿洪洞縣縣南有二坊一曰師曠故里一曰張丙食邑東十五里有九箕山許由隱此上有棄瓢池辛卯三十五里至天井村二十五里宿平陽府爲帝堯故都水土淸曠民風樸湻蟋蟀山樞猶存遺俗嘗考三代以前荊揚介於蠻夷雍并錯於戎狄惟大河南北號曰中原而冀州爲帝王所宅聖君賢相踵起駢生光嶽鍾靈此爲最古今則扶輿之氣磅礴東南昔之名都上郡乃闃焉無聞人材隨地氣爲轉移豈不然歟壬辰四十里至曹村又二十里宿史村癸巳微雨行數里車陷淖中不能起易騎先

行並山麓蛇行盤折而上左爲峭壁右爲深磵惴惴懼失足四十里宿高縣鎭甲午三十里至侯馬又三十里渡汾河宿絳州乙未留絳州一日李笠茵鄧思亭來會城中南北兩街廛市雲連百貨鱗集舊有小姑蘇之目尋樊宗師絳守居園池故址不可得或曰在州城北荒煙流水而已丙申七十里至聞喜縣爲裴晉公故里裴氏代號河東名族自漢至唐名賢輩出宋以後則漸衰矣是日余病寒飲藥酒不解丁酉行四十里至涑水鎭司馬温公故里也涑水自東北來繞之又三十里宿桃村戊戌疾稍瘳車中苦震蕩翰西弟以肩輿來迎十五里過安邑大禹故都也遥望終南蒼翠可挹有水縈折而南者曰姚暹渠隋都監姚暹所開也讀胡稚威記知渠之繫於河東水利者甚大歲

久未濬日益淤淺矣又十五里抵運城太行以西名山以百數霍山爲尊黃河以北支川以百數汾河爲大如孟津三門之奇函谷二陵之險皆近在百里外雖不能至心嚮往之戊戌仲秋記於河東鹺署

庚午小陽月

思沖齋文別鈔

壺公題

遜清之季吾邑楊味雲先生方以郎官仕京朝究心經世大業又足迹徧大瀛海外歐羅巴美利堅諸邦旁逮南洋各島習知四國之爲故其爲文博通今古紆徐委備而條析事理期可見諸施行有鄉先輩薛叔耘氏之風顧意有所鬱不得竟施用數爲貴人草奏言事其尤犖犖大者莫如籲立憲以宣民氣釐官制以清政本辦預算以制國用宅言天下事甚衆匪關大計故不著集中諸草具在可覆按也嗚呼清之衰也魁儒志士不忍夫淪胥之痛所爲發策陳書殫聒而不捨者豈欲託諸空言以著述相矜尚哉夫亦謂時會之窮而必變將求得當以一試也然而或舉世傳誦而不得用或偶用而不得竟其緒卒以階亡則甯獨先生之言爲不用也先生新與余交手是編見眎曰此

顧子涵若爲余所訂也凡奏稿一卷公牘一卷余在官本末粗見焉然余本不欲以文自見凡所爲文隨手棄罔自董理一厄於庚子之兵再燼於庚申之火雖有存焉者寡矣博應之曰何傷昔班孟堅志漢藝文諸家著錄者或百數十篇或數十篇或僅一二篇及觀晉中經簿百數十篇與數十篇者以不盡傳而一二篇者或至今猶傳然則文之傳與不傳不在多寡也苟有禆於當世之務者雖少必傳如孟堅漢書錄賈誼陳政事疏董仲舒賢良對而范蔚宗續漢書亦錄仲統昌言蔡邕條陳所宜行者七事蓋漢之所由興廢將以垂後世昭法戒也今觀先生所言其有禆於天下興廢得失之故者甯細世有良史如班范者必錄先生之文以徵見淸之所由廢先生之文儻以少而珍

罕乎雖然博重有感焉清社屋而民國興先生敭歷京外固已聲績彪炳然而憲法未制則國是靡定官制未釐則仕途日雜預算不立則財用瘉匱政之有以愈於衰清者幾何而先生之言所得施用者又幾何其在書曰殷鑒不遠在夏后之世然則民國之鑒又豈遠乎哉此先生所爲惓惓不能已也於是乎序以歸之民國十二年一月十一日同縣後生錢基博

思沖齋文別鈔卷上目錄

無錫楊壽枏著

籲請立憲摺 代考察政治大臣澤公擬

奏為籲請實行立憲以定國本而靖人心恭摺仰祈聖鑒事竊維時事方棘世局日新我皇太后皇上通變宜民勤求治理凡興學練兵改律理財通商惠工重農諸要政次第舉行宮廷宵旰亦有年矣卒未能卓著成效者則以制治之未得其要也夫振裘者必挈其領張綱者必提其綱綱領不得枝枝節節而為之終無以聳動天下之耳目振作天下之精神而收變法自強之效總覽東西各國富強之策千緒萬端莫不以憲法為綱領憲法者明秩序定紀綱使舉國之人咸受制裁於法律之中視為神聖不可侵犯故國本愈固君統亦愈尊英吉利於百年以前君民兩黨斷斷相攻迨憲法行而國勢驟盛雄視五洲矣日本維

新以前外內交訌其勢岌岌明治變法採用立憲帝國主義行之三十年而治定功成蔚爲强國矣何則立憲之國國與家一體君與民一心人人有合羣愛國之心思人人知納稅充兵之義務事不勞而集政不肅而成上下交資雍雍成治各國業行之而有效矣或者以民權漸盛政俗未合爲疑臣證之聞見而後知所慮之過當也夫民質有强弱政體有寬嚴惟措之得宜而後行之無弊中國自秦以來二千餘年廢封建而爲郡縣一人統治於上羣下戢戢奉法其間英君雄主或不免挾威福之柄以箝制臣民我朝則寬仁節儉遠邁漢唐敬天愛人省刑薄賦一切舉措無不俯順輿情駸駸乎與唐虞三代同風而於憲法之精理隱相符合徒以惠黎而威不振法寬而令不行忠厚

之過漸流於積弱而輕儉之徒乃反藉口於專制政體倡爲民權自由之說以簧鼓吾民此機一開恐難終遏夫順其流而導之也易逆其勢而折之也難今日之事非行憲法不足以靖人心非重君權不足以壹眾志外察列邦之所尙內覘我國之所宜則莫如參用日本嚴肅之風不必純取英法和平之治法蘭西爲共和政府憲法雖稱完備而治體與我不同英之憲法略近尊嚴然由民俗習慣而來出於自然亦難强效惟日本遠規漢制近採歐風其民有畏神服教之心其治有畫一整齊之象公論雖歸之萬姓而大政仍出自親裁蓋以立憲之精神實行其中央集權之主義施諸中國尤屬相宜伏願我皇太后皇上破羣疑以決大計秉獨斷而定一尊明發諭旨布告立憲酌定

若干年限爲實行之期飭下考察政治館博採日本及歐美各國憲法參酌損益折衷至當勒爲法典恭候欽定頒行一面廣興教育改良法律行財政統計之表立地方自治之制以爲立憲預備綸音所播觀聽一傾日月出而氛翳消雷霆震而勾萌達建無疆之業立不拔之基萬世瞻仰在此一舉抑臣更有進者此次奉使考察政治中外議論咸謂爲實行立憲而設延頸企踵以俟德音若猶慎重遲迴密雲不雨非特海內失望且益啟外人輕量之心恐非長久治安之策也臣誼屬宗支忝膺使事覩朝野安危之所在念國家休戚之相同縷縷愚忱不能自默伏維聖明鑒察而裁擇之天下幸甚謹奏

進呈編譯各國政治書籍摺 代考察政治大臣擬

奏爲編輯政治書籍恭撰提要進呈御覽仰祈聖鑒事竊臣等奉命考察政治經歷日英法比諸邦使車所至凡官制學校法律財政武備警察及農工商諸要政無不博考其規模而深求其原理而彼國通人學士亦各出其職守學問之所習以相餉遺臣等督同參隨各員削牘懷鉛隨時記載見聞所及裒錄遂多回京後分門纂輯芟其繁冗擷其菁英共成書六十七種都一百四十六册而蒐採東西文政治書籍又得四百三十四種均咨送考察政治館以備採擇竊維各國富强之術經緯萬端而皆以憲法爲之綱領國是則操諸議院民治則寄諸地方教民以學校爲先立國以工商爲本財政必須預算無侵漁中飽之私

法律務在持平無詭法舞文之弊其教如墨子兼愛而尙
同其政如商君急功而趨利興廢雖非一致而締造各逾
千年至其君權之輕重治體之寛嚴各本乎歷史沿革與
國民程度而來政俗不同非盡可法惟日本遠師漢制近
採歐規其民有聰强勤樸之風其治有畫一整齊之象政
俗既與我相近言文尤與我相通故此次編譯各書以日
本爲較詳並採英法比三國制度以資參鏡雖未敢遽言
翔實而各國政治之源流略具於此伏維朝廷勤求治理
百度更新凡茲異域之見聞足効壤流之裨益惟原書門
類紛賾卷帙浩繁謹擇其尤要者三十種恭撰提要繕寫
正本進呈御覽臣等知識檮昧學問疏庸四方專對愧乏
咨諏咨事之才萬國交通願覩同軌同文之化謹奏

釐定官制密陳管見摺 代釐定官制大臣擇公擬

奏爲釐定官制密陳管見恭摺仰祈聖鑒事竊臣奉命釐定官制召對之日仰荷聖明垂鑒諭以任勞任怨勿恤人言祗聆之餘莫名欽感伏念釐定官制爲預備立憲之基礎大旨在變通舊制以清權限而專責成原非事事悉遵乎西法然非常之原易滋疑懼當事者既以更章爲慮在官者尤以失職爲憂屬草未終議論紛起近日政治館鈔交各摺片其中不乏通達事理博究利病之言如御史吳鈁摺內所稱嚴定選舉平均俸給簡省儀節各條皆今日澄敘官方之要策自餘言者互有異同而綜其大旨不外四端曰變更祖制曰屈抑人才曰內閣之任太專曰疆臣之權太重慮患至切陳義甚高而揆諸愚衷竊有未喻敬

爲我皇太后皇上縷晰陳之我朝創制之初分職設官具存精意然其間職掌之變遷員缺之裁汰品級之更定祿糈之增加皆經列聖斟酌得宜隨時損益恭讀皇朝通典通志通考諸編所載因革之蹟可考而知卽近歲我皇太后皇上恢張鴻業康濟生民一切新政之設施豈必盡符乎往制伏讀光緒二十六年十二月初十日上諭內稱我朝列祖列宗因時立制屢有異同入關以後已殊瀋陽之時嘉慶道光以來非復雍正乾隆之舊大抵法積則敝法敝則更要在因時制宜而已等因明詔煌煌久爲薄海臣民所欽仰況此次釐定官制無非恪遵睿訓參酌舊章但期收整齊畫一之規原非爲掃除更張之計言者不悟聖哲因時制宜之妙而斤斤以變更祖制爲疑此臣所未喻

者一也立政官人量才授任古今一轍中外同符以今日仕途之冗濫條例之紛繁已寖失前聖創垂之精意即以京曹論之閣部院寺員數無慮數千掣籤而授循格而升人多而無所責成事繁而不分委任一人而兼數事事事無人一事而用數人人人無事甚者以例行之牘而畫諾必遍全堂瑣屑之事而行文動經數部賢者窘其才而不能自振不肖者轉得以自容事機之叢脞在此人才之屈抑亦在此此次釐定官制正欲使官無曠職事有專司爲鼓勵人才之地至衙署員缺或增或併數略相當其實須裁撤者亦殆於事理之無可如何不敢稍存瞻徇在大臣宣力有年勳階並茂即小臣亦由積勞久次而來自當仰體聖慈妥籌位置惟是具官千百久苦於事少而員多豈

能人人盡予以遷除人人悉酬以津貼觖望者衆疑謗隨之任事者委曲爲難之處早在聖明洞鑒之中今言者不以前此閒冗爲非而轉以後此浮沈爲慮此臣所未喻者二也古者三公之職寅亮天工體制最爲嚴重漢之丞相禮絕百寮然黜陟之權操諸人主一有過失則璽書譴責歸第上印綬矣故任相之法漢爲最善我朝自雍正以來政務萃於軍機實古宰相之職其時參密勿者祇鄂爾泰張廷玉兩人不聞其有植黨攬權之事今總理大臣之設不過正其名位以副中外之具瞻若夫國家大政出自親裁彼固不得而擅之也部院大臣皆由特簡彼固不得而私之也猶慮其權之太重也則有集賢院以備諮詢有資政院以持公論有都察院以任彈劾有審計院以查濫費

有行政裁判院以待控訴凡此五院直隸朝廷不爲內閣所節制而轉足以監督內閣立法之密實勝於前至君主無責任之說非誠錦衣玉食高拱而無爲也考日本憲法所載凡內政外交軍備財政賞罰黜陟生殺予奪以及操縱議會皆爲君主之大權臣前奏固已明晰言之特以天位尊嚴神聖不可侵犯有大臣以代負責任則政事雖有闕失不敢指斥乘輿正所以鞏固君權尊崇國體記曰善則歸君過則歸己宋儒程頤有言天下治亂責在宰相非皆大臣代負責任之義乎夫立法司法行政三權鼎峙而統於君主一人宰相者不過負行政之責而已行政有私議院得而糾正之法院得而裁判之雖智如梅特涅才如畢士馬孰敢背法律以行私此正立憲君主國之特色如

此而猶慮其把持朝局紊亂政綱則必模棱脂韋之徒始爲稱職天下事將安賴乎此臣所未喻者三也督撫之設始自前明其職近於唐之藩鎭然藩鎭之弊在坐擁財賦甲兵而世其土地故號令有所不行我朝定制之初預防外重兵財之籍聚於京師尺符寸柄疆吏不得而擅之也惟咸同用兵之時不盡拘承平舊法然此特一時權宜濟變之計不久卽復舊章故今日督撫之力足以指揮屬吏奔走庶僚而論其實權則內制於六部外分於兩司朝命一下拱手受約束惟謹何者積威約之漸也今且議添設各司責成州縣採中央集權之主義行地方自治之制度此制一立疆寄益輕但慮其威令之不行不當復憂其事權之太重且以中國幅員之廣戶口之繁伏莽潛滋强鄰

環伺非有親信大臣以爲鎮撫斷難收長駕遠馭之規若禁防過密督察過嚴使內外稍有猜疑恐非國家之福此臣所未喻者四也以上四端或爲人情之所不便或爲事勢之所宜防國是所關敢不倍形慎重特念處列强角峙之日當先求對外之方自昔權奸竊柄藩鎮擁兵皆在闇弱之朝積衰之世如果乾綱獨攬變法圖强斷無魁柄下移之慮所慮者盈廷聚訟黨見紛歧假立憲以粉飾虛文藉改官制以驅除異己根本一誤設施俱乖上負兩宮宵旰之心下辜四海治平之望馴至臣民解體外侮生心使奸雄得藉以爲資而起此則可爲深憂而大懼者也臣素性愚拙於朝列並無偏黨於行政亦無責成徒以誼屬宗支與國休戚傍偟終夕義不忍默縷縷愚忱惟聖明鑒察

而裁擇焉幸甚謹奏

各省財政統歸藩司綜核摺　代度支部擬

奏爲各省財政請統歸藩司綜核以一財權恭摺仰祈聖鑒事竊惟理財之道經緯萬端而事權必歸統一唐以度支使領兩稅宋以轉運使隸三司內外相維古今並重國初定制各省設布政使司掌一省錢穀之出納以達於戶部職掌本自分明自咸豐軍興以後籌捐籌餉事屬創行於是釐金軍需善後支應報銷等類皆另行設局派員管理迨近年舉辦新政名目益繁始但取便於一時積久遂成爲故事雖或兼派藩司綜理而署銜畫諾徒擁虛名責任既分事權益紊且多一局所卽多一分糜費於事體則爲駢拇於財用則爲漏巵近數十年來各省財政之紛糅大都由此方今朝廷整飭百度又以清理財政爲立憲之

初基責成所在京外相同苟各省無總匯之區臣部何以定考成之法現在各省設立清理財政局以藩司或度支司總辦責任至爲重要然該局之職任在於核訂章程調查款目以爲預算決算之預備並無行政直接之權至於綜庫藏之出入權歲計之盈虛自非統一財權雖期整理臣部正在籌議辦法間適據雲貴督臣沈秉堃電稱各省財政往往特設局所另委專員藩司雖居會核之名並無察銷之實至運關鹽糧各司道各有專司財權尤非藩司所能過問欲廓清積弊確定預算非統一財政機關劃清權限力專責成不爲功等語其所論列均係實在情形臣等一再籌思各省財政頭緒紛繁必須一面清理一面統一則條理較易分明而機關乃益臻完備擬請將各省出

納款目除鹽糧關各司道經管各項按月造册送藩司或度支司查核外其餘關涉財政一切局所均次第裁撤統歸藩司或度支司經管所有款項由司庫存儲分別支領庶幾若綱在綱各省旣易於清釐臣部亦便於稽核如蒙俞允擬請飭下各省督撫轉飭該司等一體遵照辦理方今時事多艱財力奇窘全賴內外官吏化除畛域顧全大局藩司度支司職在理財裁撤各局之後事權旣無紛出責成自有專歸務當實心任事將全省財政通盤籌畫認眞整頓仍由臣部隨時考核分別勸懲以收綜核名實之效謹奏

前清宣統年間余以度支部參議兼清理財政處總辦創辦預算決算於是裁浮費汰冗員嚴考成覈名實全

國財賦之籍悉總於京師宣三預算不敷至七千餘萬至編定宣四預算收支遂能適合手擬奏疏公牘擇其尤要錄爲一册鼎革以後曹司案卷散佚而此册尙存篋中迨庚申冬寓廬失愼遂燬於火非但計畫盡成畫餅文字亦付刧灰矣此稿及下試辦預算兩奏稿皆從近人所編財政法規中錄出以備觀覽猶想見當日持籌槖筆編纂核算之勞忽忽十年已成陳蹟而財政亦非復舊觀矣辛酉冬日自記

試辦預算謹陳大概情形摺代度支部擬

奏爲試辦預算謹陳大概情形恭摺仰祈聖鑒事查憲政編查館資政院會奏籌備事宜淸單內開第三年試辦各省預算決算復准憲政編查館咨稱預算決算雖在一年然必先有預算方有決算不能同年舉辦等語是以臣部奏定淸理財政章程於宣統二年先擬試辦預算並請在京各衙門與各省同時試辦藉以通權出入知全國財政之盈虛當經憲政編查館核准覆奏在案現屆第三年試辦預算之期應由臣部與在京各衙門暨各省督撫會同辦理竊維東西各國重視預算立法最精出內有定程收支有確數顯以示理財之綱要隱以定行政之方針用能取信國民埀爲法典立憲國之財政所以整理得宜者寔

預算確定之效也今朝廷籌備立憲首以清理財政爲籌備之權輿即以預算案成立爲清理之歸宿事體繁賾程限緊嚴就目前情形而論一切財政機關尚未完備編製既無成式會計又少專家款項轇轕而正事清釐條目繁碎而亟須刪併入手之始凡百爲難自非先期練習次第改良恐至預算實行之年仍屬茫無把握查日本立憲之初即由大藏省製定歲入歲出預算表宏綱細目歲有增修至明治十四年製定會計法始以勅令公布蓋進行有序圖始維艱取彼前規可資借鏡臣等督率員司悉心參考擬先酌訂試辦預算册式及例言二十二條附以比較表都爲一册通行在京各衙門及各省清理財政局依式塡註義歸翔寔而體主簡明但期取法乎椎輪非敢遽懸

爲定式如有未盡事宜仍當體察情形隨時修改庶事例
奉行而漸熟法理研究而益精以爲他日實行之基礎擬
請飭下京外各衙門自本年起一律試辦預算預估次年
出入款項編訂預算報告册遵照清理財政章程造報期
限咨送到部由臣部彙齊核定奏請施行如逾限有不到
致不及彙核者屆時由臣部據實奏明請旨辦理以重要
政而專責成謹奏

試辦全國預算擬定暫行章程並主管預算各衙門事項

摺代度支部擬

奏爲試辦全國預算擬定暫行章程並主管預算各衙門事項繕單恭摺具陳仰祈聖鑒事竊維憲政籌備理財最難國會提前預算尤急上年正月間臣部以試辦宣統三年預算酌定册式例言奏請飭下京外各衙門依式塡註業經臣部彙齊覆覈編定歲入歲出總分各表由內閣會議政務處交資政院覈議照章會奏奉旨欽遵在案伏查上年試辦預算事屬創始本難遽言完備然因清理而漸得贏虧之實亦由練習而始知條理之疏循是以求改良誠惟臣部之責臣等督率員司詳加研究約舉辦法其要有三一爲規定行政之統系上年爲試辦各省預算故以

一省為一統系本年為試辦全國預算當合全國為一統系考各國歲出預算皆以行政各部為綱以事為目唐宋會計錄分析軍民用意略同現擬歲入各類均歸臣部主管以符統一財權之義其歲出各款則遵照欽定行政綱目以所列各部為主管預算衙門凡各省應編國家歲出表冊皆分別事項造送主管預算各衙門覈定編製而仍以臣部總其成此外在京各衙門亦仿各省之例以類相從造送主管預算各衙門覈編其關於皇室事務各衙門預算分冊仍暫送臣部彙編俟皇室經費確定後即專歸內務府主管如此則全國用款展卷瞭如而支配統計亦不致漫無憑藉一為暫分國家歲入地方歲入中國向來入款同為民財同為國用歷代從未區分即唐之上供留

州但於支出時區別用途未嘗於收入時劃分稅項近今東西各國財政始有中央地方之分然稅源各別學說互歧界畫既未易分明標準亦殊難確當現既分國家地方經費則收入即不容令其混合業經臣部酌擬辦法通行各省列表繫說送部覈定並於預算冊內令將國家歲入地方歲入詳究性質暫行劃分仍俟國家稅地方稅章程頒布後再行確定一為正冊外另造附冊預算原則必以收支適合為衡周官九式義主均財蓋必驗其盈虛而後可施其酌劑我國現在庫儲奇絀經常之款必有定衡而新政一切要需亦未容預為限制此次所擬辦法於編製總預算案之先將現在歲出與歲入酌量支配以待內閣會議先交資政院議決至新增特別重要事件應另籌的

款者則另編附冊隨同正冊造送而區分緩急核覆准駁仍由主管各衙門與臣部會商籌定的款再行舉辦蓋正冊取量入爲出主義以保制用之均衡附冊取量出爲入主義以圖行政之敏活此則立法之微意用權之苦心當爲內外官民所共諒者也要之預算法繁事重決非旦夕所能完成考英法普等國之有預算皆遠在百年以前非隨憲法而起而普國國會既開之後猶有所謂黑暗預算時代近漸精審尙遜英法況普國之國有財產占歲入之九成英法之法定款目過總額之強半現當圖始之初原少固定之款不難取資彼法要貴適我國情臣等悉本此恉謹酌擬試辦全國預算暫行章程二十八條特別會計暫行章程九條並規定主管預算各衙門事項分繕清單

恭呈御覽伏懇飭下京外各衙門自本年起一律遵辦臣
等仍當體察情形隨時修改以期完備謹奏
時朝廷預備立憲政費驟增宣三預算不敷至七千萬
余不敢昌言裁減新政費乃奏請正册之外另編附册
於是預備立憲費一萬萬餘元悉列入附册正册收支
適合宣四預算遂以成立蓋昌言裁減是阻格新政列
入正册便成議案欲求收支適合勢必加稅借債改入
附册則緩急可由部斟酌不爲議案所束縛奏中所謂
用權之苦心也辛酉冬日自記

請削除浙江丐籍摺 代商部擬

奏爲浙紳捐建農工小學堂收教墮民仰懇特旨申明成
憲削除丐籍以宏教育而廣皇仁恭摺具陳仰祈聖鑒事
竊臣部據浙江紳士江蘇候補同知盧洪昶等呈稱浙省
墮民散處各郡不下二萬餘人相傳爲宋將焦光瓚部落
由宋降金故編其籍同丐戶男女操業卑微羣萃州處自
爲種類不得與齊民齒伏查雍正元年九月乙未世宗憲
皇帝擴如天之仁特除浙省墮民丐籍俾得改業自新而
習俗相沿厥界未化非第報捐應試萬無可望卽耕讀工
商亦且動受箝制職等居同郡邑目擊詳情竊意若輩同
係子民同在聖世何可使之不學無術囿於賤業職供祀
擬就墮民處所獨力捐建農工小學堂兩所延聘教習購

置儀器招致墮民子弟入堂肄業擬請遵照雍正元年成案奏懇恩旨永除丐籍消去墮民名目准與齊民同列將來畢業學生准其升入官私各學堂給予出身呈請酌核具奏等情前來臣等竊查浙江丐戶始於南宋淪入卑賤幾及千年迨我世宗憲皇帝仁慈徧覆禁網宏開憫彼無辜始從寬典伏查會典事例雍正元年部議覆准浙江紹興府屬之墮民賤辱已甚行令刪除其籍改業自新又乾隆三十六年部議覆准樂戶丐戶改業爲良耕讀工商悉聽自便下逮四世准其報捐應試各等語是丐戶名目早已刪除特以歷世綿遠習俗相沿部章雖許其自新鄉曲或未能徧喻加以土棍勢豪藉端壓制致令深仁厚澤未能徧霑伏念國家德化翔洽淪浹寰區凡在編氓咸登衽

席卽如山陝之樂戶廣東之蜑戶安徽之世僕自弛禁除籍以後民間一切相安丐戶事本相同未便仍沿舊習方今朝廷推行新政各省廣設學堂並振興農工商各項實業海內士民承流仰化版册蕃庶學校莘莘此等丐戶既准改業爲良豈忍聽其自爲風氣且自雍正元年至今一百八十餘年脫籍已逾四世沐浴聖澤祓濯舊污豈無穎異之材足資造就臣等博考掌故旁諏輿論該紳等所稟各節確係實情可否仰懇天恩明降諭旨申明成憲永遠删除丐籍不准再沿墮民名目該學堂卒業學生准其升入官私各學堂一體給予出身其就農工商各項生理者准與平民一律寬待俾營實業庶幾宣鬯聖化廣育人材於治理不無裨益謹奏

酌擬裁併工部辦法摺代農工商部擬

奏為酌擬裁併工部辦法繕單恭摺具陳仰祈聖鑒事竊本年九月二十日內閣奉上諭欽奉懿旨工部著併入商部改為農工商部等因欽此臣等當即傳令工部各司員到部飭將工部事宜暫行循舊辦理業於十月初五日專摺奏明在案伏查工部一職兼古之水火工虞如河工海塘水利船政度量權衡礦冶之利山澤之材其事多與農工商相表裏循名覈實皆應併入臣部以一事權京外土木工程舊隸工部惟此次原定民政部官制清單內特設專司管理土木建築事宜責有攸歸臣部即毋庸兼管此外如木稅船捐事屬財政宜劃歸度支部軍械兵艦事屬武備宜劃歸陸軍部至典禮一門尤關重要凡禮器法物

乘輿服御一切製辦供張之具壇廟陵寢宮殿等處整理
陳設之事皆屬帝室之上儀禮官之專職若仍由臣部辦
理似於名實未符擬請以內廷典禮事宜併入內務府恭
辦外廷典禮事宜併入典禮院恭辦庶足以昭誠敬而示
尊崇所有庫存祭器陳設等件應由內務部典禮院派員
分別點交接收至各衙門行取之物大都照例折價不若
聽其自行採辦較爲簡便此歸併工部事宜之辦法也工
部款項每年由度支部支銀七萬兩木稅項下每年收銀
一萬兩又寶源局每年收錢十萬串是爲正款係備各處
行取採辦物件及一切正項開銷之用此外有水利飯銀
二款及各項銷費解費每年約共銀四五萬兩是爲月款
於光緒三十一年七月間由工部奏明化私爲公作闔署

津貼今工程製造採辦各事宜均已他隸所有前項正款銀兩自應剔除其存庫正款擬卽撥歸度支部接收由各處酌定用款多寡自行奏明立案逕向度支部支領其另款各項應請飭下各省督撫分別照案解交臣部撥充添設官缺之用現在存庫另款應歸臣部接收至工部裁撤人員爲數較多除由臣部調用外餘均開單咨送吏部按照新章分發他部及各省補用俾免向隅此淸理款項安置人員之辦法也以上各節由臣等公同商酌務在廓淸積弊明定責成謹繕淸單恭呈御覽如蒙俞允卽由臣部行知各衙門欽遵辦理謹奏

丙午秋釐定官制以工部歸併農工商部余總司裁併工部事宜數百年之塵牘條緒紛賾頗難理董竭十日

之力將工部四司職掌條分件繫列爲表說分配各部
事定乃上此奏因與官制沿革有關故錄存之辛酉冬
日自記

考察南洋各島華僑商業情形摺 代楊杏城侍郎擬

奏為考察南洋各島華僑商業情形恭摺具陳仰祈聖鑒事竊臣奉命前往南洋考察商務於上年九月二十日乘海圻海容兩兵艦由上海放洋歷經美屬之飛獵濱法屬之西貢暹羅之曼谷都城和屬爪哇之巴達維亞三寶壟泗水日惹梭羅及附近蘇門答臘之汶島英屬之新加坡檳榔嶼及附近大小霹靂等埠所有考察大概情形業經先後電奏在案伏查南洋各埠為神州之外府瀛海之隩區隋唐以來始通中國航船互市琛賮偕來昔人所謂海外雜國東南際天地以萬數時候風潮入貢者也自西人航海東來逐漸佔據始則通商建埠久而屯戍設官豆剖瓜分夷為領土昔之蠻酋島長僅有存者而中國海疆多

事亦萌芽於此然地當赤道炎瘴最深西人以水土不宜居留甚少土人則性情喬野呰窳偷生惟我國閩粵之人生長南紀耐勞冒險挾其貲財能力遠涉海外所到之地類能剪除荆棘創百業以殖吾民其流寓久者已數百年擁貲巨者或數千萬而衣冠禮俗仍守華風廛市規模猶同內地敦本思源之念有足多者臣舟車所至廣布皇仁博諮民隱舉凡工商消長之原物產盈虛之故與夫疆域戶口政令風俗之宜謹就考察所及爲我皇太后皇上陳之飛獵濱羣島大小千餘以小呂宋爲最巨其地西連閩粵北枕臺澎距香港廈門均不過二千餘里土產以煙糖麻米爲大宗轉售行銷皆操自華人之手貿易則閩商最盛粵商次之商會學堂醫院銀行規模具備惟商稅既重

工禁又嚴來者日形減少前此華僑不下十餘萬人現在統計戶口不滿四萬而市面亦因之減色美官紳漸知非策始議設法招徠本年正月間在該埠特開賽會凡華人來埠者一律優免進口稅名爲賽會意在招商臣晤美督時亦彼此推誠商榷以期互收利益業經函知臣部酌核辦理西貢爲越南沿海巨埠上通瀾滄江內達南圻各省水陸輻湊商貨流通華僑約五六萬人其散處各省者共二十餘萬距海口十二里有巨市曰隄岸係華人貿易舊衖尤爲富商所萃土沃宜稻播種於田不煩耘耔故產米之富甲於海南運銷出口者歲約一千二百餘萬石碾米公司九家而華商居其七米市利權幾盡歸掌握惟人心渙散因省縣之異分爲五幫曰閩幫廣幫潮幫瓊幫客幫

各立公所互分畛域經臣邀集各幫商人勸令聯絡一氣迅設商會學堂並助法幣二千爲之提倡該商等咸感激樂從不久可期成立暹羅爲南洋大國北接滇徼東西界越南緬甸之間越躪於法緬翦於英獨暹羅尚能自立近歲採用西法外交內政均極講求惟民貧財殫於海陸軍備尚未能擴充整頓其都城曰曼谷居湄南河下游民物殷賑產米豐賤埒於越南象牙犀角玳瑁燕窩尤稱珍品全國華僑約三百萬人氣誼團結過於西貢暹政府間歲課華民身稅一次恃爲入款大宗此外尚無苛待情事現閩粤各商正在籌設商會復經臣手札勸諭商情益形鼓舞俟訂定章程後即呈報臣部奏明立案爪哇全島大於和蘭本國四倍分爲二十三府環海而治西部五府以巴

達維亞爲都會中部九府以三寶壟爲都會東部九府以泗水爲都會日惹梭羅則爲內地著名都會其地在赤道以南與澳洲相近氣候炎燠土脈膏腴物產最富東部以糖業爲大宗西部以米業爲大宗瀕海則擅魚鹽近山則饒林礦華僑散居全島約六七十萬人和官選其才者爲馬腰甲必丹等官專理華民事務各埠現已設立商會七處學堂四十餘所頗能講明大義愛戴君親民氣最爲純樸惟和官稅重政苛事事箝制華人不以平等相待殊違公理汝島屬蘇門答臘在爪哇之西北地富錫礦礦工五萬餘人均係粵籍華工入境後即受和人束縛食以粗糲居以茅茨驅策鞭箠視同奴隸臣道經該島停輪撫慰並派員往視附近礦場華工數百人環求拯拔情殊可憫亟

宜設法保護以衛民生暹羅之西南海岸有地如股斗入海中內多巫來由部落昔皆覊屬暹羅稱爲地股今歸英人保護統名曰海門屬部地股之極南有島曰新加坡幅員甚小農産亦稀自英人開埠後免稅以廣招徠由此商舶雲集百貨匯輸遂爲海南第一巨埠華僑二十餘萬人工商而外擅陂沼園林之利商會成立最早勢力甚雄英官頗假以事權而海外各商會亦以此爲樞紐學堂四所課程規則悉遵學部定章宗旨純正英人法令較爲寬簡商民尙得自由惟五方雜處良莠不齊奸宄之萌尙難盡絶地股之西岸有島曰檳榔嶼商務亞於新加坡而農産過之果品海産尤爲出口大宗華僑二十餘萬人自商會成立以來公訂規條自相約束游惰者資之回籍貧窶者

教以營生英官頒行新例有不便商民者商會得援律駁阻故華人權限以此埠爲最寬中華學校一所爲前太僕寺卿張振勳等所設經臣部奏明立案蒙恩賞給扁額一方圖書集成一部宸翰褒題規模遂爲各校冠從前商人子弟肄業英校者僅以律師醫士起家今則講求政學研究中文商智漸形發達由檳榔嶼東度海峽登大陸逾山南行而至大小霹靂亦海門屬部之一四山皆礦產錫最饒華人來此往往以赤手致富所產之錫歲值九千餘萬元由檳榔嶼出口運銷東西洋近歲錫價低賤年甚一年業此者頗多折閱若礦業一停則華工二十萬人皆虞失所而新檳兩埠商務亦視此爲盛衰關繫至爲鉅要以上所歷皆係通都大埠華僑薈萃之區商務以新加坡檳榔

嶼爲最繁物產以小呂宋爪哇西貢暹羅爲最富而經營墾闢全恃華人故志南洋者輒謂西人雖握其政權而華人實擅其利柄其中不乏開敏通達豪傑有志之士徒以懸隔海外不覩中國禮樂衣冠之盛者幾數百年忠愛之忱末由自達此次蒙朝廷特派專使撫慰商民以爲奇榮使車所至衢市闐溢家設香案戶懸國徽結綵張燈恭迎恩命臣每抵一埠即赴商會學堂公所等處演說敬謹宣布國家德意萬衆圜聽額手嵩呼歡聲雷動外人旁觀亦爲改容觀民心愛戴之深益可知聖化涵濡之遠矣除一切應辦事宜由臣部陸續奏請外理合專摺具陳謹奏

請設越南爪哇等埠領事片 代楊杏城侍郎擬

再東西各國重視商務凡商民之在外國者必設領事以保護之視爲通例所以旅居樂業商務日益擴張南洋各埠華僑數百萬人商力夙稱雄富喁喁內嚮久盼撫綏除英屬之新加坡檳榔嶼美屬之小呂宋已設有中國領事外若法屬之越南和屬之爪哇等埠皆商務最盛僑民最衆之區卒以未設領事受外人之欺凌剝削赴訴無門殊爲可憫此次臣在各該埠商民等瀝稟苛待情形環求設領保護情詞懇切查乙酉丙戌條約法人本允我在越南之海防河內等處設立領事嗣以滇桂之事商明緩辦迄今二十餘年法人並不照約優待稅歛奇重苛例日新視我華人幾同魚肉該埠商會學堂至今未立未始非積威

所壓團體不能遽成默察情形設領一層似難再緩查西貢爲南圻海口近接閩粵商貨灌輸全越菁華實萃於此擬請設領事一員駐紮西貢兼轄柬埔寨及南圻各省海防爲北圻海口內連滇桂水陸交通近自滇越鐵路告成邊防尤關緊要擬請設領事一員駐紮海防兼轄河內及北圻各省如此則形勢聯絡聲息靈通於大局所裨甚鉅爪哇爲南洋巨島和蘭恃以立國華人墾闢此土已數百年和人以我未設領事任情苛待傭工則視同牛馬商賈則算及雞豚甚至行動居住皆有限制不得自由稍有違章即受拘罰其爲馬腰甲必丹者但奉行和官命令不肖者且欺凌同類爲虎作倀華人積困之餘亟謀自治比歲各商會學堂次第設立風氣漸開和人猜忌益深力圖抵

制近乃廣設學堂俾華人習和語創行新例以土官轄華人意在箝輒吾民毆歸彼籍其政策至爲陰狠若有領事從旁駁阻或尚可挽回權利維繫人心查南洋一帶和蘭屬地最多擬請設總領事駐紮爪哇此外若蘇門答臘婆羅洲西里伯等埠或酌設副領事或歸總領事兼轄均俟

體察情形酌核辦理臣亦知西人性情堅韌慮我設領事後攙彼政權提議之時勢必多方推宕然越南爪哇等埠各國早經設有領事豈能顯示異同苟不憚筆舌之煩力與磋磨或能就範駐法使臣劉式訓駐和使臣陸徵祥均能實心辦事如由外務部知照各該使臣就近與法和政府認眞商辦必能得力臣爲維持商務保護僑民起見理合附片具陳謹奏

思沖齋文別鈔卷下目錄　　　無錫楊壽枏著

英國憲法正文提要

右英國憲法正文一卷凡四種憲法學者稱爲不成文憲法不成文憲法者謂憲法之理混合於尋常法律之中而未嘗特標憲法之名義別爲一編顯分界限也謹案英國憲法萌芽於十二世紀以前而昌明於十八世紀之末其歷史上之重要事體有三一爲約翰王時之大憲章一爲查理斯一世時之權利請願書一爲威廉即位時之權利法典及皇位繼承法英國學者以此爲憲法三大經典焉英國雖以不成文憲法著稱於世而其運用敏活舒展自如常使歐洲文明各國望塵莫及蓋各國之憲法本乎法典英國之憲法本乎歷史各國之憲法在乎形式英國之憲法在乎精神今所述者皆當時制定之原文不必爲今

日施行之實事如泥文字以求之直謂今日英國並無憲法可也然此數種經典其精意之流衍於今日者昭昭然若揭日月而行爲保障臣民權利之證書卽爲成立議院政治之基礎其所以巍然爲諸立憲國之模範者恃有此也英國旣寓憲法於尋常法律之中故因事制宜隨時損益卽以修改尋常法律之方法次第行之其運用憲法又時時軼出於文字之外而依事勢以爲消息蓋憲法之原理已深入乎人人之心初無俟編條教訂法制日討國人而申訓之而政令所施動合符契以視拘拘於成文憲法以爲步趨者實有絕景而馳之象欲知英國憲法之實際必當深窺英國政治之精神若此編者其猶筌蹏也歟

日俄戰時財政史提要

右編爲日本明治三十七八年與俄國開戰時財政之要領都五編一爲軍事之總額及臨時預算特別會計之法此舉歲計之收入軍事之支出統籌而合計之者二一爲兩次歲計剩餘此就經常歲計收入節省剩餘以補充軍費者三爲兩次非常特別稅及煙草鹽專賣制度此爲一時權宜之計斟酌物價民情而出之者四爲移用特別會計資金此爲動用一切資本金移緩而就急者五爲發行國庫債券及募集外債之計畫此係明定公債規律得內外之信用而通行者日本戰時之財政略具於是謹按日俄之戰二十世紀開幕之一大戰爭也日本於甲午還遼以後舉國上下嘗膽卧薪誓雪國恥教訓生聚迨十年而後

用之然當戰釁初開蒐討軍實斷非經常歲入所能支辦不得不別籌新闢之財源今考其籌欵之事共分三期第一期爲明治三十六年十二月政府所籌備戰軍費計一億五千六百餘萬元（一億合一百兆）第二期爲明治三十七年三月會議預算之案所籌臨時軍費計四億二千萬元第三期爲同年十一月議會追加預算之案所籌翼年軍費計七億八千萬元此關乎軍費上所支出者也其籌欵之途約分五類曰歲計剩餘曰非常特別稅曰特別會計資金曰公債及臨時借入金曰軍事獻納金出於歲計剩餘及增稅等收入者約十之二三出於公債及借入金者約十之六七此關乎軍事上所收入者也夫强敵在前日夜發兵轉饟不絕於道而起視其國中則士習於庠農服於畝

工商安於市若不知征繕之煩者於此見財政之整理得宜而憲法之大有造於國也大抵立國之道莫患乎上下相暌而國民不知有應盡之義務往往羽書交警戎馬臨邊君相宵旰於廟堂士庶酣嬉於草野雖坐擁素封不聞出毫末以佐公家之急者彼固以爲國家之事而於己無與也若憲法既立則君與民一心國與家一體平時有利害相關之誼有事必出全力以擔負之是故言徵兵則人人有敵愾同仇之志言募餉則人人有急公好義之忱有不待驅迫而然者且議和宣戰之事雖出於君主之制裁而籌餉之事則歸諸議院議院之所承諾卽爲國民之所擔任亦卽爲法令之所當執行列國之兵政財政所以能集權於中央者實恃議院爲之關鍵耳今觀日本兩次預

算之案政府所提議者議院未嘗阻撓議院所贊成者國民未嘗反抗蓋羣知兵之不得已而用之不可無也迨至功成事定君主享其榮名而百姓仍充然而樂業以視秦漢之開邊宋明之加賦其氣象之舒蹙有不可同日語者夫非憲法之明效大驗歟

日本關稅制度提要

右日本關稅制度爲橫濱稅關長榎本圭三郎講述者計十九條大藏省鈴木經理課長講述者計三十八條內十五條統論各種租稅徵收法後附日本關稅條文日本關稅官制都爲一編謹案關稅之分類不外輸出輸入兩途近來歐美各國於輸出稅均漸減免存者僅一二國而已蓋自國際貿易競爭日烈欲本國之商品流衍於外國之市場必令價格低廉而後可以擴張銷路若重課稅則貨價昂而贏利薄不啻自蹙其生機是減免輸出稅者實爲對外競爭之要著至於輸入之品則又以保護本國工商之故特爲重稅以限之誠以列强角峙商戰方殷欲維持本國之富源不得不壓制外來之商品則所謂保護政策

者亦政府不得已之苦心且徵收關稅本為一國之特權從未聞以加稅問題而啟干戈之衅者然我既重稅他國之貨他國亦重稅以報之矛戟相攻適足礙兩國工商之事業故各國政府商社近頗研究關稅同盟主義期免彼此之競爭此亦世界和平之進步也日本於開港通商之始受各國之劫制以關稅載入約章於是外貨之輸入本國者徵稅不得過若干內貨之輸出他國者徵稅多寡惟所命揆諸公理實失其平且輸出與輸入並徵尤為失策自改正稅率以後輸出稅一律免除僅由稅關檢查為編制統計之預備輸入稅雖亦採用保護政策終以限於商約不能實行彼國通人深以為病然觀其稅關之制度與其任用官吏之方事事與歐美相合而又有國力以盾之

則改正條約之期知其不遠矣

日本中央銀行制度提要

右日本中央銀行制度一册首詳設立之理由次營業之大旨次政府委託之事務而以監理規則附焉謹案銀行者全國財政之樞紐而中央銀行者又全國銀行之樞紐也各國中央銀行大抵爲國家所設立故亦稱國家銀行間有由商民集股開辦者政府亦必設條例以監督之所謂國家銀行條例是也其特別之權利爲發行紙幣其重要之職務爲出納國帑經理公債制金貨之平準都泉布之匯輸平時則以低利供各銀行之流通有事則出資以維持市面蓋握一國財政盈虛消息之機關使國家與社會交受其益而不專以營利爲主義者也日本國立銀行之制權輿於明治五年其時通國所設銀行僅東京大阪

橫濱新瀉四處資本薄弱時生困難於是政府力圖整理於明治十五年改立中央銀行予以發行紙幣之權全國財政之機關始歸統一是編雖述中央銀行之制而維新以來財政之歷史亦畧可考見焉其間規畫經營之蹟維持補救之方亦理財者所宜留意也

日本國債制度提要

右專敘日本國債制度其大綱可分爲三曰本國公債曰外國公債曰戰時公債自金札引換公債以下其目凡十三此本國公債也九釐七釐公債以下其目凡五此外國公債也發布國庫債劵輸入外國資本而附以整理國債之計畫此戰時公債也謹案公債之妙用在能補劑財政充實國防凡交通界實業界軍事界中有賴國家經營者莫不恃國債以鞏其基礎世界各國於經濟上問題未有不注意國債之發達者然設網必提其綱振衣必挈其領國民負擔過重則蹶非補救不足以資周轉也於是有預備償還之法金額交付空言無補非證憑不足以昭信守也於是有契約法律之用債務之條例劵如非綜覈無以

齊其制也於是有債券之名稱式樣歲計之盈虛有數非預算無以劑其平也於是有債金之重要收支至戰時之規畫其要義尙不止是蓋平時之規畫易戰時之規畫難無論兵機萬變爲貸金者所危險而軍費過鉅不免有耗竭元氣之虞故篇末戰後公債整理計畫一章於減輕本利酌核時期尤兢兢三致意焉嘗觀歐美歷史其發行公債之方法視乎國家之信用信用一失則經濟上必大見困難蓋舉方尺腐敗之券以奔走一世使其傾囊倒篋毫無難色者全在信用信用可恃全在預備英以杜蘭斯生爾戰事停償令下債券之價格驟低國家之信用幾替此整理基金法所以盛行於二十世紀也其行用此法之故由平時債額既鉅一旦籌製軍備負擔愈重使不早定辦

法昭示中外則影響所被不獨內地市場爲之搖動卽海外視聽亦將混淆而戰後之財政其急迫更難言狀故創行整理基金法由歷年普通會計內次第支撥資金以爲償還公債之預備歐美行之金庫漸裕其後有應非常之準備踵其法以濟時艱者而成效亦卓著日本是已雖然道尤有進當夫日俄宣戰舉國景從無論都鄙不分婦孺莫不縮衣節食釀金以獻不旬日間竟達巨額至期核算已逾募集額四倍有奇外債之輸入者亦稱是固不第收效於整理基金也謂非日本債史之特色哉

丙午夏六月考察政治歸國編書於法華寺余任總纂三月而畢事擇精要者三十種別撰提要進呈御覽余所編撰者共十種以上所錄五首多屬於財政者 自記

預備立憲階級議代度支部擬

兩廣總督岑奏預備立憲階級一摺奉旨內閣各部院會議具奏欽此由內閣印刷原奏分交到部查原奏約分四綱曰改更外省官制曰設立資政院曰開都察院會議以代下議院曰各省設諮議局各屬設議事會並詳訂會議規則咨行各省俾知遵守其於立憲階級可謂推究本原賅具體要矣但得失利病先後緩急之間所關甚大謹就原奏所陳畧抒管見以備裁擇古者郡守入爲三公郎官出宰百里幕職仿於唐宋鄉官肇自成周階級簡少職務專精是皆前代之良規而於立憲國之官制隱相符合查釐定官制王大臣所發各省通電及外官官制草案大旨在專責成分權限省銓轄簡文書與各部院之規模相爲

表裏乃內官官制早經改定而外官官制尚未議行幾同
築室之謀坐致盈廷之訟且地方自治憲政之基礎也司
法獨立憲政之精神也使有資政院而無各省議事會有
大理院而無各級審判廳形式不完機關不備揆之政體
毋乃非宜該督久歷外臺情形洞悉所駁經費人才各節
尤爲深切著明足破庸人之論此外官官制亟應更改者
也民心宜萃不宜渙治道貴通不貴塞聯渙者而使之萃
祛塞者而使之通則議院其樞紐也謹按此次釐定官制
原爲立憲預備必須有輿論總匯之地以樹議院之先聲
故資政院草案編訂最詳關繫亦最要上自親貴下至士
紳皆得坐議一堂代宣民隱而猶慮其言之紛也故非多
數議員同意不能決議懼其權之專也故議定事件必先

請旨不能强政府以施行實於疏通民氣之中仍厲尊重
君權之意視英美之法限制較嚴考之於古則盤庚誕告
有眾洪範謀及庶人周官外朝三詢之法漢世議郎博士
諸官議院規模萌芽最早原奏謂不必侈談歐制實已訢
合古初洵爲確論此資政院亟應設立者也督撫者外官
之表率也部院者督撫所受成者也使四海之大庶政之
繁輪運輻集以總於京師而後國家之法令齊臣民之心
志壹原奏所稱考核督撫及年終派員會議各節洵可講
求實政以漸謀統一之規惟都察院之職在乎總司風憲
糾劾官邪風采所繫不問尊卑言論自由而無責任實爲
漢唐之善制歐美所交推而與議院性質則稍有區別議
院監督止於政府諫官獻替上及朝廷其不同者一也議

員任免繫乎民間諫官進退操諸君上其不同者二也議院條陳必參衆論諫官言事例許風聞其不同者三也考資政院辦法已厲上下兩議院之制將來年終會議似可由該院照辦而保存都察院舊制俾與議院相輔而行藉收兼聽並觀之用此都察院會議一節尙宜變通者也王道之本始於鄉閭庶政之行基於州縣日本之立憲也先設立地方議事會以儲備議院之人材頒行市町村制理由書以養成公民之資格用意至爲深微原奏請設諮議局議事會及詳訂會議規則各條洵皆握本探源之論惟所編講義僅頒示京外各官立論未臻完備夫各地方之議會皆人民組合而成必人人有普通之常識咸知以法律爲歸宿而後不以意見爲是非近歲風氣漸開士民之

研究憲法者頗不乏人若聽其人自立說家自著書卮言日出學派紛歧何以成大同之治似宜將應行研究各條編爲講義頒示臣民奉爲標準庶人人明憲法之原理而不至橫騖別驅此設立諮議局各條尙應推廣者也總之行政之官宜分任以淸事權立法之地宜合議以通情志君民一體始可成久大之功內外同心乃可奏富强之效至資政院爲博採羣言之地原可實行會議以開異日兩議院之先聲都察院有總司風憲之權不宜輕議更張以存我國數千年之舊制謹就原奏推究得失其餘條目姑不具陳謹議

余爲度支部農工商部各草一說帖內閣會議覆奏卽以度支部說帖爲藍本故錄存之 自記

改革鹽務議代財政部擬

謹按就塲官專賣之法其旨在裕國課便民食淨塲私破引界均稅價合就塲征稅官專賣兩大政策治爲一爐變其名而師其實數百年來鹽法積弊欲謀改革必先確定方針其間設施之序規畫之方先後緩急之間尚有宜精心研究者考日本維新以前各藩僅有鹽濱年貢迨廢藩置縣並鹽濱年貢之例亦廢除之對於鹽業純用放任主義無所謂鹽法亦無所謂鹽商歷史最爲單簡然創辦官專賣之先尚費種種之預備然後實行我國榷鹽之法溯源於秦漢以前而商專賣之制發達於唐宋以後原因複雜根柢堅牢數千萬之國課恃爲來源數百萬之丁商倚爲生計當此國基未鞏人心浮動之日必須維持現狀次

第進行庶可收美滿完全之效果茲就本部所具計畫書
撮舉大端以備公決
一運商引票不能遽行廢止也舊制鹽務官督商辦引本票本累萬盈千商民買賣抵押視爲產業一旦改章商業驟然中輟吾知受其影響者必不僅鹽商已也蓋商業有連帶之關係往往牽一髮而動全身直接間接消息甚微迨其發端則波瀾與波瀾相激勢必致起絕大恐慌演成商業之慘劇而後已雖組織公司仍歸商賣而從前引本票本一律廢止商人破產之餘復欲其另籌股本繳納保證金恐非商力之所能勝亦豈商情之所甘受且近年鹽綱疲滯票本引岸抵押頗多此次改革風聲傳布甚有抵借外欵之謠誠恐債權債務膠葛糾紛市塲爲之動搖外

人出而干涉後患有不可言者本部意見擬儘舊商組織公司引本票本仍准作爲底本其不願入股者由國家發給公債票使資本家照常營業而經濟界免起恐慌應行研究者此其一

一塲商產業無庸收買也從前塲商產業如灘池井竈以及埠蕩鹽舍牛畜車船暨一切製鹽之器具儲鹽之倉廒估値當在數千萬以上若悉數由官收買必須另籌鉅款所費不貲夫改革鹽務本爲利國起見今利未可知而先估鉅本非計之得也且全國鹽區星羅棋布業煎曬者大半貧民海濱之人風氣雕悍平日倚塲商爲生計受其約束習慣相安驟行歸官反形不便不若就原有塲商之地暫仍其舊以輔官力之所不逮但於整理塲產時區處條

理就我範圍則費省而事易舉本部意見擬無論場商垣商竈戶灘戶均受政府之許可作爲鹽製造者似於民引之主義尙不致抵觸應行研究者此其二

一引界當逐漸融化不宜遽行破除也畫地行鹽本唐宋以來之舊制引有定額銷有定岸商有定名立法之初非不整齊畫一迨其弊也此界彼疆儼若敵國甲銷乙地即號鄰私叢詬之原此爲最甚近今談鹽務者輒以破除引界爲言大勢所趨終有潰決隄防之一日惟改章伊始設備尙未完全一旦遽撤藩籬鹺綱立將紊亂本部意見似宜因勢利導凡距場過遠私銷充斥者准商人借運鄰鹽視運途之便利爲差自有天然引界試辦之初仍應限定引額逐年遞增使引界逐漸化除不致遽生障礙應行研

究者此其三
以上三端係爲維持現狀兼籌並顧起見於就塲官專賣之政策手續雖異目的則同詳細辦法具在計畫書內不復臚陳至實行民製官收以後又有兩種困難問題不能不預爲籌慮者

一曰經費增鉅舊制商買鹽於竈官收稅於商商有虧折官無損失商有負擔官無責任所謂保護者不過支配彈壓之事耳今若改爲官收則凡收鹽儲鹽賣鹽一切官爲經理各項開支必鉅查日本開辦官專賣之前預算每年征收費僅需八十四萬元今則已達三百四十萬元所增幾至四倍今我國甫議改章調查核算一時遽難精碻將來經費膨脹尤非日本可比計畫書中概算歲出已需四

千零八十萬元內收鹽價二千七百萬元爲流動資本餘一千三百八十八萬元爲征收費此項概算僅指經常支出而言其臨時特別經費發生於意外者猶難預計收入之增尚未可憑而支出之鉅則斷難再省此經費宜預爲籌慮者也

一曰人才難得鹽筴之學夙號專門榷稅之官尤擅利柄非經驗宏富操守廉潔之人不能勝任查日本鹽局官制屬員技手已逾千人我國產區之廣職務之煩尤數倍於日本依本部此次所擬官制各省應置鹽務司若干設官較多需材甚眾而管理場產爲官收關鍵尤爲重要從前商專賣時運商與場竈直接交易官僅有製驗稽查之責而漏私買放之事時有所聞今於商竈之間復設一官收機關萬一官商相倚爲奸弊有甚於今日者防之之法惟

有優給官俸嚴定官規厚糈以策其前重法以繩其後復設立鹽務講習所造就人才庶前此鹽官積弊可以掃除此人才宜預爲籌慮者也

以上兩種問題均由事實發生爲異日必經之困難故本部對於官收一層倍形愼重必俟一切機關完備體察事勢方議實行而實行官收以前首以整理塲產爲第一要務塲產淸則私銷減私銷減則官引增而國課亦隨之俱旺否則綱壓引懸鹽鹽山積商不能運而官則不能不收佔本愈多獲利愈薄是前此商竈之累官且代受之矣所當深思而熟計者也總之論鹽務於今日非謀改革不可欲謀改革而不審今日之現狀驟然行之則不可本部所定計畫亦未敢信爲確當仍應派員分赴各省實地調查

復延訪通才公同研究然後統籌全局決定方針至論目前入手辦法惟有首謀鹽政之統一次籌鹽稅之平均處過渡之時期採漸進之主義此則本部改革鹽務之宗旨也

北洋興辦紡織議

竊自各國通商以來洋貨暢銷內地金銀流溢外洋國計民生因之交困而洋貨之入內地者尤以紗布爲大宗考近年海關總册進口洋紗洋布歲值銀五六千萬美國之布日本之紗年盛一年售價既廉行銷益廣民間爭相購用遂爲通商一大漏卮昔李文忠公奏派官商設織布局於上海經營草創歷十年而後觀成所製紗布行銷各省大致奇羨中遭煨燼論者惜之然自是以後風氣益闢盛杏蓀少司空重興於滬上南皮張宮保創辦於鄂中江浙紳商聞風踵起東南紡織之利大興然外洋紗布之銷仍未能驟減者則以西北各省爲之尾閭也燕都襟帶山海風雨和會舟車輻湊百貨皆仰給於外來而耕織之利漸

輟而弗講民風呰窳生計日艱夫以輦轂之下萬國四方之所觀聽而工藝不修商業不振甚非强幹弱枝之計也昔管仲治齊三服女工而冠帶衣履天下今英國紡織之廠多至七千餘處故商務之盛甲於全球人但見洋藥之歲耗我二千萬而烏知夫紗布之歲耗我五六千萬哉且夫生人日用之需衣與食二者而已漕東南之粟以給京師議者猶或病之況乎服御之常一布一縷之細不能自治而必取給於外人則吾民之窳惰亦已甚矣故嘗私論今日欲北方之民無饑莫如興農田欲北方之民無寒莫如興紡織農田之效非可驟覩也若夫紡織之興則歲計而有餘矣謹將紡織功用及工藝源流畧陳於後以下敘紡織功用文長不錄

光緒壬寅年上此議於政府未幾　先伯父京卿公奉旨督辦順直紡織以病歸未及舉辦越十五年余始偕建德周緝之總長創設華新紗廠於天津旋代全國棉業督辦數年之間天津紗廠成立者六家遼魯晉豫亦相繼而起北方棉業蒸蒸日上蓋距創議時已二十年矣　癸亥冬日記

爲江蘇同鄉上執政公呈

竊讀江蘇盧督辦感電救國大計弭亂良方循誦再三同深欽佩某等睠念桑梓就蘇言蘇謹本原電各節紬繹引申聊貢芻言以備採擇曩者奉軍南下直軍潰散方冀除苛戢暴解我倒懸乃戰事雖定兵額轉增潰散之衆復歸伍籍焚掠之後仍食名糧縱之爲寇撫之爲兵霸上棘門視同兒戲竊意直軍舊部萬難再用擬請明令取消原有師旅名目將潰卒設法遣散回籍勿使玩軍紀而耗民財此一事也軍隊既自由編制餉需亦任意增加征稅不足繼以預借預借不足繼以勒捐文檄嚴催急於星火郡縣支應日費千金民力幾何安能供額外之徵索宜就江蘇之財政統籌支配畫出若干成爲軍費必較齊督時代痛

加汰減此一事也村鎮廬舍大半駐兵丁男供牽輓婦女執炊滌民畏兵如虎兵役民如奴遂使比戶逃亡連村虛耗工商廢業耕織失時兵燹餘生將成餓殍且銳卒勁兵久居內地足以長柔靡之習而消勇健之風亦兵家之所忌也宜畫定軍區扼要屯駐浙江交界尤宜緩衝此一事也江蘇腹地不煩重兵今則新舊各軍已逾十萬列鎮幾同割據客軍儼類駐防督辦無統馭之權而一省軍政無形分裂若廢督而仍留護軍使勢恐角立爭雄益形紛擾宜將江蘇軍隊限制額數暫統歸督辦節制仍俟中央議定全國軍政畫一辦法再行改編此一事也盧督久處兵間洞知利害擬請予以全權先將畫軍區編軍制兩層切實規畫首從江蘇辦起必使所抱政策見諸實行方准解

甲歸田釋除兵柄一面迅將廢督裁兵案交善後會議
決使全國一律遵行江蘇幸甚大局幸甚

與江叔海先生論財政書

伏讀賜書言理財之策甚詳且備而屬望於僕者甚深循繹再三且愧且奮竊以自古言財政者不外開源節流四字而僕謂今日之事勢節流尤急於開源數年以來政府日以籌欵爲急項城總統高掌遠蹠以金錢驅駕羣材經常收入不足供其揮斥於是公債驗契官產各種新稅次第推行取於民者可爲纖悉靡遺矣然項城於財政固非漫無區畫也其法以國家經常收入如田賦關稅釐金鹽課及其他雜稅悉隸於財政部專供經常之用出納之數以預算爲根據主財政者類多精敏廉潔之人綜覈嚴明絲毫不得溢於預算之外至公債驗契官產及各種新稅皆爲特別收入專供總統特別之用不爲預算所限制人

但見項城手所揮斥動輒數十百萬金而不知於國家財政之範圍並未踰軼也然當日內外官吏奉承意旨往往以聚斂爲巧以獻納爲能四海之財輦輸於中央者如水之歸壑庫藏充溢遂啟侈心洪憲帝制緣斯而起乃歎古來甲兵土木禱祠之事皆出於豐亨豫大之朝而李沆日以四方水旱盜賊細故奏聞其識慮至深遠也今項城已逝黃陂總統以淸標儉德表率百僚治國之道一張一弛言財政者亦當以淸靜寬大爲主僕到部後查核預算冊歲入爲八千餘萬歲出幾及一萬萬冗濫之欵比比而是現定一暫行簡明預算表每月支出六百萬已寬然有餘節省千萬以備特別之用其內外債數目較鉅者本有關稅鹽課分年抵還如此則中央財政基礎鞏固不必仰給

於外省之解款而外省亦不能借財政以掣中央之肘矣
論者以僕驟邀擢用必有奇策以聳見聞今所持者仍是
老生常談誠不足饜朝野之望然苟行此政策數年以後
民力漸寬國計漸裕內外債擔負漸輕於是定會計法以
杜浮冒立金庫制以絕侵漁恐古今中外之言財政者舍
此別無他道近歲吏道日媮廉靜者爲拙貪詐者爲才異
日儻有智計之士進加賦借債之策迎合當局之意破壞
常軌以行其私則非僕之所敢知矣

與李伯芝論公債書

伏讀賜教誨諭深切謂安格聯公債說帖宜予通過以徇輿論嗚呼安氏之說帖果爲維持公債耶今日之報章尙得目爲輿論耶明達如公尙不悟安氏之奸而爲之說何論他人溯自民國六年以來政府用財無藝財閥乃利用公債政策操縱財權陽託整理之名陰施龍斷之實所謂整理者整理若輩之財產而已所謂維持者維持若輩之權利而已蓋自民國七年公債局成立以安格聯保管基金仗外人爲後盾此財政第一致命傷也民國八年整理案成立國庫七八千萬之收入逐漸吸收盡化爲公債抵押品此財政第二致命傷也自此以後國庫無絲毫收入專倚公債爲生活於是安氏把持關稅除償債外悉儲匯

豐銀行內債抽籤任其定期外債購鎊任其作價財部一切不敢過問彼乃乘政府之急卽以所儲關餘發行公債使半耗於息扣之中官吏嗷嗷聞公債發行則動色相告如獲大慶初不知演成此髓竭膏枯之現象者誰實爲之掌財政者必仰安氏之鼻息入財閥之統系否則羣譏衆謗岌岌不可以一日安僕對此事感憤久矣縱不能遏其流安能復揚其燄乎今安氏又欲以實行值百抽五之新關餘改撥爲整理案內六項公債基金美其名曰維持公債夫此項新關餘早經呈准爲九六公債基金矣而安氏乃曰整理案應佔有優先權試問整理案定於民國八年而實行值百抽五之案定於十年華府會議何以逆知有此項收入而預指爲基金乎其說不攻而自破矣安氏之

畫此策蓋以九六基金未歸稅司保管必改入整理案而後新舊關餘悉歸掌握彼得扼財部之吭而制其命同一公債彼所保管者則應維持非所保管者則應破壞指鹿爲馬欲以一手掩天下之耳目嗟乎以堂堂中國政府而財政命脈乃操諸外人誰爲畫此策者欲使我中國爲埃及之續乎法國金佛郎案國人方在反對而安氏說帖中乃謂金佛郎之欵亦須扣存輕輕一語令人並不注意迨說帖通過彼得藉詞預扣是不啻承認金案矣吾國人無財政常識於安氏說帖亦未能詳究炫於邪論羣奉安氏爲神明顛倒其術中而不悟僕力不能制惟有潔身而去耳安能低首下心爲外人之傀儡而丐其餘潤耶細玩尊函意旨似亦深燭安氏之奸但勸僕勿攖其忌然則惟有

不與其事而已良友之箴敢不拜嘉
安氏說帖余未予通過迨余去職後後任阿安氏之意
竟通過閣議於是中央財政金融悉爲安氏所操縱國
人始悟其奸羣起反對政府乃斥退安氏臨去時猶私
挪四十萬鎊財部雖請查辦而彼已挾巨貲逍遙海外
矣 自記

庚午小陽月

思沖齋駢文鈔

壺公題

宣統庚戌辛亥間余在禮館所居與度支部僅隔一短垣耿伯齊部郎愛讀余詩時令人於牆頭索稿故余詩有云却將下士窮愁氣送入司農左藏中意蓋謂金銀之氣足掩文光錢穀之司必無詞客固不知味雲先生即彼時堂上官之一余眞可謂輕量天下士矣君所作詩文某年爲祝融攝去今所存詩與駢文各二卷樊山老人既序其詩余更敘其駢體駢文原起出於漢京至齊梁而藻繪日新迨唐宋而體裁屢變姑就昭代畧述源流林蕙迦陵時露六朝之采善卷思綺遂沿兩宋之波乾嘉間人力矯其弊稚威學博掞張星漢之華簡齋才高舒卷風雲之色荀慈芥子風格最超容甫北江神味彌雋淵如得金石氣彝軒有經籍光芙初韻秀緯以華思甘亭骨奇澤以古藻雖彫

畦各別而軌轍不歧然後之不善學者誤以假詭爲奇以堆垜爲富以不協聲律爲古以不工對偶爲高名爲愛古薄今實則避難就易不知古人之文審音最重燈盞柄曲辨及四聲雌霓連蜷嚴於一字要必期抑揚抗墜初無取格磔鉤輈其音不調者非作者偶然猝意卽後人傳寫沿譌今乃句摹而字倣之則是臨漢碑者並效其泐殘之筆學杜詩者姑謬爲淒苦之詞善師古者必不若是至於駢儷之詞首觀屬對慶賀春正之表蔡元長笑其偏枯逡巡歲月之聯史越王竟無强對徇義例務求盡善猶難寬樊南之七夕牽牛若配儷不必甚工何難爲太白之萬言倚馬近世駢文多至充棟求其麗而有則工而不纖者所見亦僅更有襞積碑文撏撦選學如棘生吻如鯁在喉假使

別具紙筆令作者默寫一通吾知逾三日者必遺其半過一旬者幾忘其全言不由衷勢所必至凡此諸病君一掃而空之其體製則綜六朝而歸宿於開府其風調則由四傑而折衷於玉溪簇簇生新鮮似紅雲之荔亭亭獨立艷如綠沼之蕖書味浸淫不待秋燈獺祭歌聲宛轉恰如春樹鶯啼余跅弛爲文逕涂小異然弇州老去極服震川歐九歸來亦稱謝絳取向雖殊淵源則一惟余以雪窗畢世纔能爲覆瓿之文而君以冰案餘閒猶多獲籠紗之句人之度量相越豈不遠哉昔君早歲從宦京師與同人結文社先叔沂州公亟賞君文長鯨碧海早卜飛騰威鳳丹山果符識鑒（沂州公評君文有丹山威鳳指日飛騰語）比歲下走又屢從君文酒之會幾社復社後先同挹清風蓉裳荔裳授受自饒家法

羨歸去煙霞獨淚惠泉水一洗囂塵問何時日月重光浯溪石來徵大筆社愚弟丁傳靖拜序

思冲齋駢體文鈔目錄

無錫楊壽枏著

壺中九老圖序

裨瀛之交輿嶠之列有方壺焉羣眞之所宅也翠島微茫海日現鳳麟之采丹樓縹緲天風送鸞鶴之聲夙標福地之稱曾載洞天之記何期人海亦號仙鄉方壺齋者在都城之西宣武坊之南蔭北兄所居也斜連槐樹之街近接藤花之屋徑開調鶴堂峙戲鴻文窗四圍映蕉陰而常碧畫闌幾折亞花影而皆紅兄於儤值之閒輒有讌游之樂壽耕自辛卯至甲辰每莅都門恒居書館而吾族章甫叔祖筱荔幼梅心栽經笙諸叔石漁仁山兩兄或從公粉署或謁選金門時駐軒騑共聯觴咏坐松寮而讀畫過竹院而看棋臨池栽蕉葉之箋據石奏梅花之弄謝家別墅不睹香囊劉氏高齋能疏錦被亦可見門風之敦睦世運之

承平矣朝市已改坊巷未更白香山解組仍寓東都郦根矩避兵尙居北海今歲七月爲兄七十壽於是筱荔叔年八十一石漁兄年七十九皆於明歲重讌鹿鳴仁山兄年七十七幼梅叔年七十五心栽叔年七十一經笙叔年六十七章甫叔祖年六十四壽枬年亦六十五矣夫吉胡盧鄭非出宗親卷稷充融未登耆壽歊許同志蒼涼東澗之居點肩齊名惻愴西山之別今則三世聯著簪之誼一門希綺皓之風方諸古人亦爲難得然處覊旅者每思故里瓜桃之戚際遲暮者彌念少時梨棗之儁是以靑蓮感秉燭之游玉局憶對牀之夢鷄鳴喈喈雖隔乎千里鴻跡落落將留諸百年爰借縑素流傳付雲仍保守齋量十笏亭占三弓水竹寫其襟靈雲松摹其標格有書有酒但供風

月之談不帶不簪都具煙霞之氣抱琴之僮亦生鶴髮挂屩之樹已作龍鱗回憶舊館停雲閒窗話雨茗熟香清之候花開葉落之辰輒爲之撫卷流連感盛時之不再也圖成名曰壺中九老命壽榯序之昔吾鄉秦氏有寄暢九老同郡莊氏有南華九老彼皆遭遇昌時優游晚歲擅門第衣冠之盛亭園林鐘鼓之娛今者烽火各天江湖滿地黃塵海上共看桑田白髮山中重吟桂樹渺渺搏沙之感蕭蕭落葉之愁追念生平能無棖觸然而守儒素之業惟愛靑氈傳淸白之箴不矜丹轂南祖北祖同席慶餘東廳西廳能談掌故過舊時之池館向有竹林訪劫後之亭臺依然花樹則是圖也亦可擬李伯時山莊畫卷補陸放翁家世舊聞矣溯淸芬於先代恰仿芙蓉館之聯吟蓉裳族高伯祖有芙

（蓉山館九人消寒聯句詩）續嘉話於前賢敢比卷葹閣之作序（洪稚存有南華九老會詩序）至亭館人物之位置均詳筱荔叔記中故不敘
錫山楊氏壺中九老曰前浙江候補道甯波府知府
志濂年八十一曰前湖北候補知府楫年七十九均
於明歲重讌鹿鳴曰前廣西柳州府知府道霖年七
十七曰前郵傳部郎中春灝年七十五曰前法部主
事恩霈年七十一曰前軍機處領班三品章京署光
祿寺少卿內閣制誥局局長壽樞年七十曰前浙江
候補知府建綸年六十七曰前度支部左參議長蘆
鹽運使壽枏年六十五曰前安徽候補直隸州州判
鍾鈺年六十四九人者皆以科名仕宦起家有政事
文章之美退休林下俱享耆年亦清門之人瑞也既

繪爲圖爰爲疏其官職名氏於後庶來者有所考焉

武進趙椿年記

林子有閩詞徵序

同社林君子有選閩詞徵既成屬余爲序且曰君鄉丁氏聽秋館詞話於吾閩多微詞願得君一言以解嘲余辭不獲命乃援筆而序之曰八閩夙稱才藪兩宋尤擅詞名耆卿雅曲流唱教坊伯可新聲傳歌禁籞外此名章玉映才宿珠聯早已主上國之敦槃抗中原之旗鼓乃吾鄉丁杏舲先生則謂其音淆瑣掃韻雜戈靴擁鼻來顧虎頭之嘲張喉效李龍眠之戲（丁氏謂閩多鼻音）一若荔枝之曲祗數粤中梅子之名獨推吳下偶然評泊遽爾流傳無怪竟陵諸子望紅豆莊而生嗔復社多才觀綠牡丹而變色余以爲土風皆能作操俚語本可入詞音多鴂舌而騷人以南國爲宗詎到鷄頭而詩派以西江爲盛今顧獨議閩詞者豈由

南宋之季閩學方昌近思錄人手一編通志略曰鈔數卷延平危坐豈題紅刻翠之時夾漈著書無鏤月裁雲之暇倚聲視為小道顧曲遂少專家沿及有明彌形寥落彼其時少谷稱詩石倉好客紅雲社裏金粟臺前豈無側帽才人工題花葉剪綃韻女解唱竹枝顧或畏鐵秀之呵退聽堂自删少作或懼桃村之謗斷腸集不落人間坐是蚓吹音沉鶴場志闕葉小庚詞鈔所錄不少遺珠謝枚如詞話所收無非碎錦芙蓉鍔不投艮冶何由知切玉之奇苧蘿村自晦明妝誰復識傾城之豔幾令榕陰不韻蘭畹無香論者所言或由於此近代詞流踵系雅道日尊勳名如雲左則范希文之黃葉碧雲忠愛若弢庵則蘇子瞻之瓊樓玉宇聚紅製譜飛翠傳箋聚紅為咸同間閩中詞社子有家有書齋名飛翠軒虹橋

之煙水皆香烏石之林泉彌韻儻無人亟爲蒐輯恐此後又復銷沉今子有以二雅之名材生三山之勝地廣徵鄉獻博考藏書網羅越八百年著錄近二千首是選出而知鳳洋山下人握金荃螺女江邊家藏玉楮蕉雨軒寫成定本合歸勤有雕鏤（國初閩本皆余氏勤有堂刻）荔香社唱徵清聲足助宛鄰鼓吹鈔來半夜我將賄侍史貂裘傳到中州誰復笑參軍蠻語僕未諳宮徵敢議妍媸但念李伯紀解官流寓晚年遂號梁溪（李忠定世居無錫籍仍邵武）浦長源入社論詩同調實宗左海東林組豆黃忠端栗主如新南嶠旌麾孫文靖棠陰猶縟吾錫與閩淵源不淺偶形牴牾宜事溝通不敢爲左袒右袒之分聊自附繫鈴解鈴之義又結一重香火來夢中古處衣冠好烹第二名泉對海上新編花草

嚴堯欽駢體文序

乙卯丙辰間余主計山左嚴子堯欽來參幕事觀其文采遒麗詞翰精妍判牘則趣博而事昭箋記則慮周而藻密時復明湖選勝官閣聯吟翠簾畫舫擫笛藕花之鄉銀燭清尊題襟海棠之社（署中有宋海棠二花時觴詠其下）湖山助其文藻仕宦擬諸神仙既而余上計北行君亦投簪南返仲長樂志惟在田園幼輿清標最宜邱壑衡門嘯咏述作斐然沈隱侯之賦寫以屏風柳文暢之詩圖之團扇其所精詣尤在駢文夫尊秦漢者卑齊梁爲綺靡師韓柳者薄徐庾爲淫哇不知文章之道文質相輔奇偶相生秦碑之古奧瑰奇漢詔之淵懿醇厚古文之矩矱亦卽駢體之權輿東西京先導其流南北朝盛行此體爲之工者必沈酣典籍杼軸

性靈緯之以精思澤之以古藻格雖排偶氣實單行子山之沈鬱蒼涼得龍門之神理孝穆之華縟整鍊具蘭臺之體裁昌黎南海廟碑都京頡其瓌麗子厚永州游記騷辨漱其芳華軌轍雖殊淵源則一乃今世作者以堆垛爲富以塗抹爲工體則錯采鏤金字則儷靑妃白萬花錦繡織成雖費工夫而七寶樓臺拆下不成片段又或襞積奇字捃摭僻書符號詅癡簿稱點鬼譬諸商彝周鼎奇珍皆稗販而來晉帖唐書贗本自鉤摹而出讀者驚其博奧識者病其艱深堯欽則力謝穠華自成馨逸姑射神人具綽約之態甄陀歌曲發微妙之音其氣格如白雲孤飛奇花獨笑其詞采如新翠欲滴軟紅可掇在詩家爲雅音在畫苑爲逸品邵荀慈所謂於綺藻豐縟之中存簡質淸剛之製

覽君所作何媿斯言僕技類雕蟲見同測蠡延應陳於賓館引屈宋爲衙官每當刻燭分箋停觴授簡一篇脫手便付傳鈔一語會心互相欣賞綢繆風義謬許知音爰就管窺聊資喤引抱煙霞之逸趣君疑藕蕩後身（嚴秋水自號藕蕩漁人）寫風月之清詞我媿蓉裳嗣響

姚柳屏扶桑百八吟序

扶桑百八吟者故友姚子柳屏之所作也君以騷雅之才任輶軒之役龍節虎節麟洲鳳洲入松島而訪藏經過芝區而考學制繙吾妻鏡之故籍證朝日丸之異名鷄林賈舶爭購新詩龍沙行篋尙留舊記於是采其謠俗譜以謳吟隸事皆新擇言尤雅考山川志風俗紀游同赤雅之篇蒐佚事摭異聞載筆仿黃車之錄洵職方之外史而樂府之新聲也乙巳之冬與君同使東瀛雪夜圍爐出示此編命爲弁語人事蹉跎晷序飈忽何圖一諾遽隔千秋青楓闕塞何處招魂白髮江湖悽然感舊乃與汪子袞父陸子形士共取是編爲之校印雖蟬留遺蛻蟫饜殘灰抑亦安石之碎金文通之斷錦也猶憶明湖折柳杜曲看花畫船

煙水如蕩古愁旗亭風雪共賭妍唱至若泛滄溟之檝采鞮譯之書吐納雲濤摩弄星漢胸中小五嶽足底大九州意氣之豪不可一世尺波遽謝樽酒已寒秦淮桃葉之曲先帶離聲（君姬人先半月逝）巴渝竹枝之詞遂成絕唱覽斯編也殆不勝金刀掩芒玉笥埋雲之感焉一燈黯淡客思如潮萬葉蕭騷秋聲欲雨校錄既竟爲之累唏

竹素園叢談序

顧子涵若目眩萬態腸涫百憂抱瓠而處握槧而游一日出其所著竹素園叢談而告余曰擾擾六合芸芸衆生嗜欲殽然不給則爭吾蝨其間兮猶蟹腹之蛣與蚊睫之螟彼夫朱邸沉沉車如游龍貂舄錯坐蛾睩環列呼吸生風雲咳吐成雨露曳裾之士願乞猪肝奉觴之賓冀分鵝炙此權勢之赫也吾蹇於命不敢與爭削脯擊鐘賣漿列鼎阡陌鱗錯棟宇翬飛陋吳鄧之銅山傲卓鄭之丹穴五花之廄錦作連錢七寶之牀珠施步障此貨殖之雄也吾拙於術不敢與爭至若發藻經帷探根理窟珠囊蒐字玉版纘文藏諸名山以餉來哲又或旨兼騷雅趣託幽玄揚雲奇字處覆醬瓿王維苦吟誤入醋甕此學士之覃思才人

之慧業也吾惰於學嗇於才亦不敢與爭吾少齒於庠青衿而濩落壯筮爲吏黃綬而陸沉頹齡難制百年飆馳積慼不消五嶽稜起固宙合之悴民也然猶且掇拾唾餘捃摭耳食覩記所及媵以楮毫藉此消汩心神收召精魄此卽吾砭憂之具藥憤之方也子幸爲我刪削而排比之余受而卒業其書隨筆纂錄不主一格蒐討國故則朝野僉載之流也誦述先芬則家世舊聞之例也敘兵戈浩劫似泣蘄錄之蒼涼誌神鬼異聞非諾皋記之荒幻以及甕牖閒評曝簷瑣語考證名物品藻詩文詞必歸於雅馴體不傷於蹐駁亦足見君記覽之賅洽學養之深純矣嗟嗟文士命宮本多磨蝎詞人心力半付枯蟫校書芸閣讀者每苦其浩繁秉筆蘭臺作者或多所忌諱反不若野乘流傳

之易私家記載之眞探其逸事可供捫蝨之談擷其珍聞足抵揮犀之錄也余畧爲點定俾付鈔胥乃書甫成而君病病十日而君逝矣嗚呼傷哉尺波瞟眇寸臆蒼茫搏搏之地鐫石而長埋穹穹者天呵壁而難問孤蛩絮夕如訴牢愁征鴻叫涼若覓儔侶感時蕭屑觸緒悲涼爰述遺言弁諸簡首

陳葆生詩序

碧雲紅葉三秋賦別之時烏帽黃衫千里從軍之客吾友陳子葆生辭倫好戒徒御歷龍門之鎮訪虎牢之墟西風鞭影隨瘦馬以衝寒落月笳聲和荒鷄而破曉此行也丁流離之世値搖落之辰不無伊鬱之思宜有牢愁之作然而闗河重阻地當四戰之場川陸交衢人具五方之俗金梁橋上月色秋寒銅瓦廂邊河聲夜壯君也過夷門而尋任俠登廣武而弔英雄朱錫鬯江湖載酒醉卧壚頭王阮亭風雪懷人飽箱紙尾又復洛浦留佩叢臺選謌挾紅袖而題箏擁紫裘而擫笛珠簾十里蕩爲春雲銀燈萬枝映以華月以上皆詩中本事亦足以消磨積慼陶寫閑情矣游覽所經篇什遂積閱時三月得詩若干首題曰獨學廬集外詩

屬余爲序余惟君述德自祖賜書在家一門龍虎之文四世鴛鸞之序昔迦陵檢討詞譜紅牙藥洲中丞香凝畫戟淸門文采冠冕南州君以騷雅之才兼循良之選豪氣如茅孝若房中之么鳳成羣風稜似李琳枝杖下之靈貍不赦囹宜發舒壯采紹述先芬而乃書劍蕭條干戈漂泊話舊事三吾亭畔碧凋桐樹之圖過外家四憶堂前紅褪桃花之扇傭書筆禿乞米甑空黃麐屈作尉之才靑兕負封侯之相此則賦成鸚鵡自悔才華唱到鷓鴣倍增悽怨者矣嗟嗟歲月之流速於轉蓬交游之散紛若隕籜依依柳雪人生多行役之勞采采葭霜天末起懷人之慼鶴餘倦羽鴻入歸心家山秋老待從君雪苑之游人海風高盍尋我月泉之社

許佩丞辛盦詞序

東風巷陌薺麥纔青斜日園林棠梨如雪芳時晼晚孤抱蕭寥當垂簾病酒之辰來側帽塡詞之客許子佩丞踸然造門出所著辛盦詞屬余校定余與君雲津邂跡汐社論交花下酒邊每多酬唱茶煙花雨春留禪榻之痕蠟淚爐香秋動畫堂之思殘月曉風之句微雲衰草之篇往往繡上琴囊塡成簫譜賞心所寄烏可無言君早飲香名夙秉奇氣跌宕笙簧之坐縱橫翰墨之場痛飲旗亭結客羡黃驄年少高吟幕府談兵慕青兕才人洊涉亂離漸傷遲暮憶到舞衫歌扇春夢多銷聽殘斷角哀笳秋心欲碎於是倚聲寓憤顧曲排愁狀妍冶之情則陳去非之杏花疏影寫蒼涼之緒則辛幼安之煙柳斜陽其意境之幽邃也如

丁夢蘋之攢月勾花其才華之清豔也如王聖與之挑雲研雪至若江亭咏絮山館憶梅纏綿紅藥之吟惆悵綠陰之感今日桃花不知何世舊時燕子又入誰家皆詞社銅本事盤之清露垂垂玉筍之秋雲黯黯蓋於身世盛衰之際友朋離合之間尤三致意焉頃歲世事星移吟朋雲散逝者已同隕籜存者又類飄蓬弔耆卿於仙掌冷落紅牙訪子野於垂虹蕭騷白髮回憶月榭按詞雲屏記曲鶯邊春小雁外秋高相與吹鐵笛撥銅琶度石帚之腔訂玉田之譜窮源流正變校宮律參差此景此情不可復得讀君是編曷禁百感之交集也

馮中甫蘭陵返棹圖序 代

吾郡南襟笠澤北枕大江山川秀靈鍾爲都會十里鶯花之海五湖蝦菜之鄉文窗鈿閣面面看山畫舫珠簾家家臨水民間則事耕桑饒林圃采菱之塘帶以蟹舍種橘之洲繚以魚陂風土號爲清嘉丹青圖其名勝僕與申甫結廬其間川原相望百里而近雲谿之沚蓉湖之湄笠屐互通釣游斯在中歲以還勞形簿領黃塵抗乎烏帽白袷掩其清觴蓴鱸之思渺然天末戊戌冬日僕權晉臬申甫亦出守太原舊雨重來客星暫聚訪家山之近事話鄉社之舊聞爰以蘭陵返棹圖出示柳絲斜照之天菰葉橫塘之路煙黛數笏蘿峰翠腴風漪一奩桃浪紅膩滄江夜靜虹月米家之船藍田秋老水竹右丞之墅託諸縑素寄爾遠

思亦猶竹垞翁之煙雨歸耕石谷子之溪山逸趣也或謂桃源作記本彭澤之寓言桂樹名篇亦淮南之託興君以蘭臺之彥出守名都百縑表其清郎五袴歌其循吏方將振靈姿於虬鑾耀奇采於鳳苞豈以竿綸易其簪紱斯圖之作亮非本懷不知君少歷憂患中更亂離從宦六詔之鄉避兵五溪之洞桄榔月暗瘴霧壓裴鵝搗風高堠火團壘摩箐棧而聽虎渡籐谿而墜鳶既乃飄泊沅江羈棲衡浦芙蓉薦湘君之廟薜荔結山鬼之隣平子言愁文通賦恨碧螺之腸九轉紅蠶之繭千絲雖復早踐清班洊登華仕而泥金甫報荆枝已摧符竹初分萱草忽萎因軫謝公哀樂之感頗識向生損益之旨所以等百年於蜉羽齊萬物於鴻毛季眞投老惟尋鏡曲之煙波希文守邊猶戀圭

塘之風月也僕一官匏繫千里萍浮風塵役其夢魂泉石寄諸形想流連尺幅棖觸遙襟他日者歸臥煙蘿卜居雲壑課耕緣壤結社碧山相與釣琴臺之魚載菱谿之酒讀畫倪迂之閣品泉陸羽之亭展斯圖也將添畫天隨之茶竈筆牀元眞之綠蓑青笠乎鴻跡可證鷗盟不孤青山白雲共鑒斯約

松厓雅集圖序

光緒十年歲在甲申江蘇督學使者瑞安黃公體芳按試常郡取士之秀者升於庠無錫十七人金匱十九人府學三人其姓名具載於錫金游庠錄漢博士得列學官唐秀才多由鄉貢進身之路此爲初階僕以丱角之年忝冠髫髦之選（院試列第一）余其時世涂清宴士習樸淳黌序之內俎豆莘莘鄉黨之間衿佩秩秩橫經而至皆隨都講之班比牒而登尤重通家之誼文章聲氣師友淵源由來尚矣滄桑變易文藻銷沉科舉之制既停經生之業亦輟舊日絃歌之舍非復青衿少年童冠之儔已多白首蓋自甲申至今歲丙寅已越四十三年同歲之游於庠者僅存十三人矣余自都門歸里言訪故交風雨如晦感乎雞鳴日月不淹

爰此駒影爰相約於重九後三日公讌於公園之池上草
堂並攝影於松厓以志鴻雪沼芹仍碧籬菊初黃方塘一
鑑釣魚之石尚存高柳十圍繫馬之枝已老展花間之坐
具擕竹裏之行厨蓮社不分主賓蘭亭惟序少長白袷高
談人皆綺皓綠衣末座我亦華顛（同學三十九人余年最幼）述鄉社之
遺聞話名場之故事寫照而丹青亦韻題聯而煙墨常馨
（華君酌亭撰聯句以紀雅集）匪惟吾輩之勝緣抑亦後人之佳話也是
日到者十人華文川藝珊江宗海仲淸蔣士松遇春華樽
酌亭孫光斗伯萱王宗鎣念椿錢承駒季常蔡樾蔭階楊
建綸經笙楊壽枏味雲未到者三人孫福昀嘯秋周甲魁
靜山徐家楣紹達於是華君藝珊首寫爲圖同人各繫以
詩而僕爲之序

蕖生叔藝蘭圖序

池館春深林亭晝靜爐香如篆几琴無塵此中有人翛然絕俗乞三湘之佳種移九畹之靈根藉以文緹護以綺石溉以華池之露培以玄圃之泥四桁水綃之幙多化湘紋六槅雲母之窗微度檀息每當霞朝星曉酒熟茶溫吮墨箋騷含香製譜誠幽人之清課逸客之勝情也於是託諸豪素寫此襟靈嫩碧染芽輕紅點蕊地則平臺曲榭人則散髻斜簪蕉窗雨過煙墨皆香竹院風來人花同氣以視耕煙存菊迦陵洗桐(王石谷有存菊圖陳其年有洗桐圖)洵足結彼古歡儷茲雅癖者矣所恨名花墮劫江文通未免黯然倘教妙畫通靈顧長康更成癡絕(前年名蘭被竊僅存此圖)

角山寺倚虹寮記

乙未四月余與範甫兄同游山海關登角山望海憩於僧寺梅天雨過龍氣猶腥松院風來鶴夢初醒相與據盤陀披叢薄藉草命酌倚樹聽泉乃有長虹起於澗底掠余而過璘斌晃耀如坐七寶牀而五色吉祥雲籠罩之剎那之頃上凌煙霄東跨海嶠尾沒於雲濤杳靄之間於時天光蔚藍日氣紺碧駕鼉梁之縹緲望蜃市之空濛暮靄迴曛煙外之林巒漸紫明霞照海雲中之樓閣皆丹浩浩乎飄飄乎幾欲御泠風而躡倒景矣是夕宿於寺中小院疎寮花竹幽秀山僧以素紙乞書範甫兄題曰倚虹而屬余爲記石梁渡我來賦赤城之霞禪榻留君同觀滄海之日

貫華香火記

翠壁嶙峋丹邱窈窱中有高閣是曰貫華蓋顧梁汾成容若去梯玩月處也其地則虎溪鶴磵其人則石帚玉田逸想凌霞清談霏雪蘿月窺幕燭花不紅松風入簾茶煙自碧投壺側帽主客成圖（梁汾寫側帽投壺圖容若題詞）以一夕之清游爲千秋之韻事雖復華年水逝勝蹟灰飛而紅牙按玉茗之詞彩筆寫金荃之句從劫雨闌風之後證冰牀雪被之禪（二語用楊伯夔詩句）同人所以寄荃宰之思而發檀施之願也今者紺榭一新丹甍重麗輞川之游得裴王而著松陵之集因皮陸而傳惟彼兩賢允宜尸祝蓮葉雙座分占梵王之宮梅花一龕合作詞仙之宅伴以青松翠竹薦之碧杜紅蘅至若騷人韻士憑弔流連或借讀精廬或留題素壁或採

撫軼事或纂輯舊聞既留翰墨之因緣合受煙霞之供養諏諸眾論僉以為宜閣既成乃於第三層設兩龕上龕祀梁汾容若兩居士下龕祔祀鄉先生若干人俾山僧司其香火名山無恙詞客有靈庶幾雲中仙馭同笙鶴以翔游月下神弦共鐘魚而響答

丁沽秋泛記

七十二沽諸水渟匯蘆荷深淺鳧雁是棲葦塘縱橫蜃蛤所產一泓杯瀉十里鏡平過者渺然有江湖之思焉丙寅七月溽暑未闌冰泉不寒火雲猶赤陸子彤士至自都門瀹荷露以論詩披松風而讀畫古歡既洽清興忽生乃擘吟箋召游侶爰自西郭泛於南窪天晶川瑩俯仰一碧榜仄妨滕橋低礙眉時則紅藕將殘白蘋未老柳絲冉冉猶帶斜暉荻花瑟瑟已含涼吹煙波一曲便擬鏡湖之居水竹三分言訪輞川之墅過管洛生別墅叩舷嘯咏清風自生照影而游魚驚聞聲而宿鳥訝以視南浦采綠西湖鬧紅誠歡戚之殊悰喧寂之異致矣俄而彤霞散綺素月流輝蟬咽露而無聲鷺偎煙而有影沿流回棹問渡移舟玉驄陌上

何處停驂銀燈水邊有人按曲起暮愁於雁外留秋夢於鷗邊謂宜寫景丹青留題煙墨爰綴荒翰以引其端同游者太倉陸夢孚陸形士秋浦周立之閩侯林子有無錫楊味雲數太白竹溪之侶祇少一人仿東坡赤壁之游恰先四日

上座師徐壽蘅少司馬書

叩別軒墀載更裘葛宗想輝蔭渺若山河蒼松藏壑時抱雲霄之思赤鯉登門必資風雨之勢載知慕德篆鏤何言伏維我太年伯夫子大人黼蔀黻紀贊醲廸薰佐文昌而衍五意三官之機順武義而握八門九江之要歷官禁近徧覽道山册府之藏召對闕廷能言勁馬精兵之數九重嘉其風度百辟仰爲典型況乎手握珠衡胸藏璣鏡集鳳之枝百尺如龍之駿一鳴世稱韓退之爲宗師人願陸敬輿爲舉主遂使鄒枚雨集籍湜風趨若衆星之拱北辰羣望之尊東岱至如栩者狙狙有志鹿鹿無奇筆無五色之華桂有一枝之秀吾師煦之愛日坐以春風惜孔顗未有時名許范喬能傳家學引散樗於規墨納頑礦於鈞鎔咳

唾皆恩眄睞成飾談經絳帳彭宣獨至後堂隸事青箱何憲每居上座此栫所以循涯自愧撫臆難忘者也慨自豕蛇薦食豺虎橫行巖廊有高議之官袍澤無同仇之士致使漢家失策竟棄珠厓遼使請成遽邀金幣漫恃連雞之勢將貽引虎之憂寓目蒼黃撫膺侘傺以爲丈夫生世進不能如班定遠趙營平筈兵走萬里路退猶當如王深甯鄭夾漈著書成一家言思欲考鞮譯之文窮禆瀛之論續龍龕之紀繙臘頂之書蘇秦發憤而學飛鉗張衡覃思以求渾蓋佝愗自苦櫄檖獨前而情爲境役學共家貧紅蠶作繭祇益纏綿青草爲袍自傷濩落客嘲雄之寂寂人說項者寥寥誰憐猿臂因失路而數奇自笑蛾眉未入宮而見妬（此聯有本事）雖有祖逖著鞭之思而無鄭莊推轂之雅敢

慕介子投觚之志而抱君苗焚硯之懼坐是悠悠將成瓠落若夫拔之泥滓升之慶霄此則在乎師友之淵源平生之風義者矣郎日春候暄和小梅融冶伏計禔躬應節多豫馳寸丹於日下繕尺素於風前削楮抽毫不勝眷眷

與劉寄漚書

山虛水深萬籟蕭蕭古無人蹤惟石嶢嶢此古琴銘也僕最愛此數語以爲幽寂清曠之境苟得吾寄漚以化工之筆寫之臥游其中便可忘世庚寅秋日讀書山中循黃公澗至忍草庵訪貫華閣舊址步屧於清泉白石之間其時秋雨初晴山翠欲滴蒼苔幽徑黃葉空林杳無人迹惟鐘梵松濤與泉聲響答而已山僧出示君所爲忍草庵志至粱汾容若兩先生月夜登貫華閣談詩悠然想見前輩高致憑弔遺蹟於煙榛露蔓之場俯仰徘徊不忍遽去壬寅春日與君同客都門追話往事慨然有修復之志君笑謂余當先作圖以贈圖中小閣三層後倚峭壁冠以煙嵐雲壑帶以曲磵疏林樹古苔荒水清石瘦略仿古琴銘意境

閣中二客幅巾道服一執卷一撫琴吾二人結雲霞之契訂風月之交卽以此圖爲息壤可也執别以來遂成契闊鷗波千里鴻雪三年每憶前語輒爲悵惘遥想空山弔古野寺尋詩松風塔院之間花雨罏塘之畔荒泉咽月斷甓蘊煙感舊懷人定增眷眷倘於著書之暇驅使煙墨點染丹青留此畫圖爲異日結廬之約百年後縑素流傳當爲忍草庵添一段故實也先生其許我乎故鄉楓葉已丹蒓絲猶碧涼風天末君子如何

與樊樊山先生書

早歲讀公詩文便知仰慕蘿溪圖咏茗樓詞卷風流文藻輝映一時徒以伏處菰蘆未獲執鞭爲憾比年追隨壇坫獲侍光塵覩正始之餘風話貞元之舊事仰公在北斗泰山之上坐我於東風和氣之中不幸生薄俗猶幸識元紫芝此生可以不恨栟秋風戒涂行將南返尋碧山之舊侶開白社之清尊家秫釀酒半勺而亦甘山蔌充肴常餐而不厭故宅之西新搆別業近已落成借石成巖就泉通沼柳絲萬疊映以紅樓荷花四圍帶以碧檻中有精舍曰修竹吾廬先人之舊業而兒時讀書之地也涼雲罨徑清風拂簾牆角故物惟存雁燈篋中舊藏尙留蠹簡是客兒始甯之墅亦子厚善和之坊謹呈素箋乞題楹帖懸之齋壁

足以寵柳嬌花矣秋涼惟起居珍衛不宣

須社百集觴客小啟

敬啟者某等筮遯雲津偶聯詞社鏤冰費日刻楮窮年緣情綺靡露花倒影之章寓感蒼涼煙柳斜陽之句雖復鵑愁花落鶴怨松孤傷時則清角黃昏弔逝則空簾斷碧而絃匏之音不輟芥珀之契彌敦時歷三年會逢百集按璚簫之譜幾遍九宮彈錦瑟之絃恰成雙調當夫酒邊選韻花下傳箋紅燭短而華夜長黃金賤而芳春貴花陰濛濛明月欲墮萍影冉冉流波不停綺夢漸闌瑤思靡歇不有雅集曷紀勝緣爰以五月十二日集於雲在山房並邀社外詞宗參與斯會時則蒸梅雨溽拂柳風薰單衣試酒之天清簟看棋之地冒辟疆紅橋高讌半是遺民曹能始青溪勝游大多流寓寫以丹青之蹟留茲翰墨之緣荔香社

再續新聲蓮子居常傳嘉話焚香滌硯敬俟高軒此啟
是日會者客五人閩侯陳弢庵寶琛天門陳止存恩澍甯海章一山梫常熟言仲遠敦源閩侯何壽芬啟椿主十二人遵化李子申孺長洲章式之鈺閩侯周熙民登皞無錫楊味雲壽枏吳縣徐芷升沅秋浦周立之學淵貴陽胡晴初嗣瑗天門陳仁先曾壽濟甯許佩丞鍾璐閩侯郭嘯麓則澐宜興李又塵書勳黃陂周君適偉社友他適者四人長沙郭詞伯宗熙閩侯林子有葆恒保定王叔掖承垣商邱陳葆生實銘社友已逝者二人宛平查峻丞爾崇白粟齋廷夔

漢石經賦以啟戟鸞弧星流電轉爲韻

緊昔東漢之世瑤籙誕斟璇圖肇啟搢紳之彥綸彬簪筆之徒跪蹐校天祿之祕書訂曲臺之逸禮鳳采耀於斗觚麐文被乎殿陛丹函湛珠璧之光青簡豧盤盂之體摶摶焉膴膴焉固已闢藝苑之榛蕪而抉書林之根柢矣洎乎靈帝熹平之年鉤黨縱橫儒林廢斥銀瑺之餘方張金匱之藏中厄升堂則莫習豆籩入室而競操戈戟私書改漆簡之文破體淆石渠之籍昔之芸閣縑緗蘭臺竹帛莫不隨莎莽以銷沈雜帷囊而棄擲其曷以鑠皇風鏤聖迹揚大漢之洪輝麗珠囊而炳金册於是議郎蔡邕等乃進而稱曰陛下黼藻三代籲勺九寰苞符耀乎羲畫勛德炳乎虞環文教敷而鸞旗㠑武節震而狼弧彎惟五經之文字

實博士之所嫺伏馬掇其蟫㚇孔鄭敓其榛菅錯簡鈌而宜補俗書沿而未删臣願考六籍之譌訂百家之頑以鋪敫乎壁水之奧橋門之圖恭承明詔廣召洪儒弦歌匏葉飲射桑弧綸綍昭如雲倬衿佩翼如風趨其石則洪工樸製密理貞膚鸞鳳葳蕤以驤翼龜龍躨跜而承趺其書則櫛比鍼列跗銜蕚敷翩兮若鴻翔而鵠峙爛兮若星孎而霞鋪儷周鼓之體製仿禹碑之形模丹珉之光璀璨䂳墨之氣盤紆洵足以貽輝瑤策垂範璿樞蔚一朝之鉅製而焜燿乎虎觀鴻都其樹之學門也庭槐翹䂳壇杏流馨頫澄波於泮水冠華闕於櫺星膠宇開而紅采襲橫舍覆而䂳氣焱鳥篆粲其鏤碧麟書鬱其吐青非天寶石臺之記非延光石闕之銘集環林之冠帶闐京邑之輜軿諸生訢

訢以揚於王庭試爲羅羣書而博採綜墜簡而旁搜五經
六經滋後人之辨論一字三字費異代之孶求攷奇字於
鼞散闈壽辨異文於鴻艾劬猶邯鄲補書重輝於琬琰雅
陽殘刻已寶於琳球凡唐宋之所甄錄歐趙之所校讐蓋
存者僅八百二十九字而猶足以輝千禩鏡萬流巍然爲
學海之筏字林之郵嗟嗟一代滄桑百年飈電竹素蟫殘
干戈蟺戰苔荒景福之宮榛沒明光之殿經東晉之淪胥
迨北齊之遷變而是碑也亦復闐委於泥沙沈薶於甓甗
浮屠之壘已摧營造之司誰繕隨斷岸而俱傾翳殘垣而
偶見徒令嗜古者搜剔摩挲而嘅息於容齋隸釋之文蔚
宗儒林之傳洪維我朝册府優覃藝林廸演酉藏旣罄其
蒐羅乙夜彌申夫覆勉三雍之寶刻重鐫四庫之璇題親

展宸翰灑而霞綺騰鑾蹕臨而星斿轉士也紬書近東壁之光珥筆與西清之選爰拜手稽首而獻頌曰緊石經之彪炳兮爛寰寓而光顯六書正其形聲兮三體兼乎隸篆啟正始之青琨兮軼開成之翠琢垂千葉而不刊兮淵乎四三墳而六五典

懺愁文

雲薖主人羈留京闕待詔公車卧碣石之舊館憶江東之故廬採芙蓉而誰贈佩蘭茝而愁余於時朔管潛移玄冥殿歲孤簷雪深寒谷日曀感馬卿之游粱喻列子之嫁衞擁青袍而濩落隱綈几而侘傺有鏡元先生造之曰嘻子何思之深也主人曰芰兮芴兮若有物兮求之無跡察之無倪煢然魂交憒然神馳潛若陰火裊如游絲六竅雕鑿五情阽危聰明炫惑精爽將離越人視之迷其孔吳客說之窮其詞幸吾子之來萃願灼我以著龜先生曰甚哉子之憊也吾聞微言可以解惑眇論可以感靈請爲子捭祕闔抉元扃陳清虛之至道以釋子之沈冥可乎主人曰唯唯先生曰昔者玄黃始剖宕冥鴻洞清陽苞物萬萌挺挏

峙岳流川游鱗翔鳳人生其間微塵一蠓跖肥而壽顏膌而天蘭椒撤俎蒿䪥充庖鯢蟠於淵鴻鶱於霄升沈枯菀惟遇所遭是以柱史無名玄風寂寥漆園齊物遺世逍遙蚿何事於夔憐鵬何心於鷃嘲且吾聞之王以縝毀膏以明爝楩楠自伐蘭桂自煎故物貴於無用而道存於自然剷光晦耀與化推遷而不見夫蝶之蘧蘧兮與蟬之僊僊乃能自全其天今子靡靈機刊質素儆跬於修塗黽役於藝圃四部七錄六書九數冢書叢殘元苞奧古漱芳潤於班揚啜糟粕於鄭許結繩彝瓦絺章琢句膽爍肝熠心劌形楛謂可以攬鳳輝翔驥步簉羽於天衢擘轡於皇路矣然而方枘不圓直鉤難曲性婞戾時行觭忤俗遇貴游而籠東登廣坐而祿藪進不能彯纓曳裾鸞聲竿牘退不能

帶索鼓琴葆素巖壑方且載書五車投卷百軸爾刺毛生揚文瓻覆餓騂誰爲落毛（南史檀珪傳餓騂不噬誰爲落毛）寒蟬尙思振足（北史尉瑾傳搖脣振足時論比之寒蟬）譬猶泛芥舟而步滄溟御棘輪而躋喬嶽不亦苶乎今將授子以安神之藥予子以衞性之方處子於赫蘇之宇游子於華胥之鄉眞氣爲鞴元神爲鞅拓日月爲襦褊駕虹霓爲輿梁隨華猋而上下淩霞景以翱翔侶彭聃而友喬佺令壽千億而未央於是主人穆然神怡渙然形釋幸聞至論敬佩藥石存精於玄牝之門養氣於丹嬰之宅投鉛輟槧緘滕扃鐍靈臺春融智府冰絜陶陶命酌一醉千日

李靖舞劍臺銘代

臺在盤山萬松寺之西峯松石最勝荒徑詰曲攀葛而登頂有磐石刻李從簡曾游李靖舞劍臺十字或謂唐太宗征高麗靖老不能從蹤跡未嘗至此然從簡爲唐文宗時人年代非遙不應誤記余巡視燕郊道經盤谷流連勝景企慕英風乃爲銘曰

高盤丹梯橫截翠壁石畫獅蹲松如鰲擲英英衛國爲唐元功峩峩此臺永鎮畿東紫電流輝白虹騰耀金精一揮魍魎驚嘯泉寒淬雪厓古摩雲猶藏虎氣常映龍文

祭張少軒將軍文

維癸亥秋九月某日奉新張上將軍以疾卒於津門嗚呼哀哉是夕也風雲慘澹虎氣騰霄星河動搖雁聲墮地悲哉氣也如金戈鐵馬之交馳靈之歸兮與紫蓋黃旗而共逝僕以潁川之上客爲平陽之故交臥病空堂驚聞噩耗睠焉舊誼悽愴傷心越七日病少間乃以清酌庶羞致奠於公曰嗚呼三辰失位四海横流鬼同曹社之謀人鮮殷墟之戚公獨奮回天之力矢蹈海之心利鈍不敢知毀譽不暇計將欲御五龍以鉤虞淵之日策六鰲以奠員嶠之山氣數難回功業未遂一軍忠義盡化蟲沙九廟神靈終傷禾黍而精忠灝氣猶將凝爲碧血化爲白虹壯河山而炳星日以視金符寶册爭陳勸進之文玉帳牙旗坐擁上

游之地其心事烏可同日語哉公今者驂蒼螭駕赤麟排雲而叩九閶馭氣而淩入極河山蝸角冉富貴蟎毛固已等勝負於累棋視興亡如轉轂矣而僕猶且流連山陽之笛惻愴雍門之琴擊玉唾壺而悲歌持竹如意而慟哭者蓋非但庾蘭成思舊之感抑亦有劉越石傷亂之情焉嗚呼碑沈峴首劍沒豐城賓朋慷慨空悲易水之衣冠父老謳思猶識順昌之旗幟英風不沫正氣常留青史千秋丹心萬古嗚呼尙饗

祭郭春榆太保文 泳社公祭

嗚呼前朝耆舊日慨凋零天道難問又賈德星憶在秋初公來沽上花下扶輪酒邊撰杖諷咏篇什玉戛金春華燈芳讌語笑從容如何一別遽歸修夜述德摛詞淚隕如瀉公之族望夙著八閩鴻璧虯珠照耀星辰早登承明旋直樞府鳳閣麟臺熟諳掌故南宮典禮西掖制詞修唐會要定漢官儀遂陟台衡方資毗贊何期劫運遽更龍漢金盤墜地玉弩驚天皇輿播越奉以周旋帝曰藎臣國之元老汝終相予用作師保俾攜書局仍直庖西閣輝寶錄齋煥宸題晚歲爲詩振宮佩羽老鳳一聲瑤花齊舞紅亭之讌綠埜之游屏風團扇寫此風流公之襟抱朗若秋月叔則清通休明夷白公之德量藹若春風如邵康節如郭林宗

英英才子若瓌有頗簪紱聯徽藻翰標映金魚垂侍銀鹿娛嬉謂當耄耋而至期頤晨羞偶哽夕簟已撤素書忽來瑶華永絕嗚呼哀哉公乘赤虬上謁天閶英魄靈氣常在帝旁贈官易名加䘵賜琀恩禮始終公又奚憾所嗟吾黨失此典型素旗製誄斑管題銘公身九原公名千古靈兮歸來歆此椒醑嗚呼哀哉尚饗

光緒中葉學者厭時文之庸腐競尙古學場屋中文亦以瑰麗奧衍爲工徐庾王楊之體盛行一時幾於戸隋珠而人荆璧矣然爲之工者十不一二大都鶡䳄之車麒麟之楦耳其下者採摘子史中奇字僻典自詡爲古錦囊中物用以弋時名掇科第較之時文庸有愈乎余少好爲駢文由玉溪以上溯開府自恨才力未富風格未遒所謂靑綠溪山未趨蒼古者也今掇拾舊作僅存七首益以近作錄爲一編多不足觀徒以當日風氣所趨少年思力所萃存之以備一體云巳巳夏日味雲記於沽上雲在山房

辛未仲冬

思沖齋駢文補鈔

壺公題

易中齋雜文叢錄

思沖齋駢體文補鈔目錄

無錫楊壽枏著

醉鄉瑣記序

醉鄉瑣記一卷吾師瑞安黃漱蘭先生所著也先生氣節文章萬流仰鏡軺車四出甄采英髦朝列奉爲羽儀士林仰爲宗匠當日諫草彈章千金募購程文試牘萬本傳鈔而身後遺書顧未刊布此編爲同門汪子仲虎所掌錄蓋先生晚年耽翫緗緹隨筆纂輯中多標舉雅故陶寫勝流其時朝野清晏士大夫衣帢蘊藉吐納風流禁近簪毫多窺秘笈燕談揮麈悉屬珍聞敦立却掃之編京叔歸潛之志此其例也先生以光緒辛卯乞休乙未返里旋歸道山角巾東路肯污庾亮之塵搵策西州遽隕羊曇之淚迄今三十餘年門生故吏大半凋零栂與仲虎以髫歲受知今亦垂垂老矣每念蓮社讌游會參末座蘭臺著錄僅賸殘

編談天寶之舊聞溯永嘉之學派芳徽已沫竹素猶馨爰取是編付印冠諸叢書校寫卒業敬題簡首先生飲量最豪有酒龍之目生平手不釋圖史口不離杯鐺名以醉鄉蓋紀實也

顧節母辛宜人栢節松心圖序

吾鄉理學盛於東林辛左峰一時耆宿高座談經顧涇陽四海君宗林居講學通德門夙稱舊望讀書堆本號名家流風既扇於搢紳餘烈復煇於彤管吾讀顧節母辛宜人傳而益歎名賢之澤長也宜人淸規玉映雅範蘭薰髫年而育於辛（本姓過氏）綺歲而嬪於顧甫覯夢熊之喜旋罹別鵠之悲以婦代子收涕而奉親以母兼師銜哀而課子垂垂裙布朝傳畫荻之書軋軋機絲夜佐然藜之讀迨至楹書親授門業重興蘭孫之學行成而宜人之心力盡矣中歲以後累遘家屯蔗尾未甘蘗心先冷燕營巢而已悴魚銜索而遽枯蘭孫永感慈恩彌傷苦節繪圖徵詠用表先芬守陶歐之訓世德必昌溯鍾郝之風家聲不墜繹紗授學

人知韋逞之賢黃絹題辭我愧蔡邕之筆

丁闇公駢體文序

邢子才言文章不嫵媚正似疥駱駝祖瑩曰文章須自出機杼成一家言昌黎曰氣盛則言之長短聲之高下皆宜知此者可以讀闇公之文君具搖岳凌滄之筆裁雲鏤月之思早歲即辨四聲弱齡已通萬卷凡四部七略之富五方六甲之奇嫏環室內金繩寶軸之書顯節陵中綠牒赤文之字覽之而目如閃電誦之而口若懸河故其發爲文也爛如赤城之霞浩如黃河之水其運思之精邃也如紅蠶繅繭綠蟻穿珠其製詞之珍麗也如佳饌合鯖新機織鳳如入華嚴法界香花幢節七寶莊嚴如望員嶠神山金碧樓臺五雲縹緲又況手摩銅狄目斷金莖孟元老飽閱夢華徐應秋廣搜談薈陶南村掌錄無非國史遺聞孫北

海燕談都是春明舊事故能以沈鬱蒼涼之氣成閎博瑋麗之文並世才人殆罕其偶樊山丈與余書曰以吾所知獨步江左惟有丁髯耳余謂閶公之才似胡石笥以副貢終遇亦相類貌似陳迦陵若開鴻博科髯當超羣軼倫矣君年四十始至京師一時老宿傾衿名公倒屣春雨杏花之句徧繡羅衣秋雲木葉之篇爭題紈扇耆卿樂府井泉有處能歌（君著有滄桑艷傳奇行世）白傳詩篇郵壁之間爭寫使其著金鑾之記題玉署之碑孫宗右日試百篇劉原父夕揮九制何足道哉乃以芸館清華之胄而名不登賢書以蘭臺著作之才而官不掛朝籍海內誦劉蕡之策翻令李郃登科江東知羅隱之名但爲錢鏐作奏閒話金臺殘刼交游多桑海遺民遍觀石室奇書家世本蓉城舊主白鶴峯齋

厨甫就遽催奎宿歸垣〔君移居甫一月卽病〕蒼龍谿宮觀初成須召玄卿作記嗚呼閶公以子之才而遂止於此詎非命耶僕交比莅蘭感均葵麥效松陵之皮陸擬蓮社之宗雷銀燈官舫續紅橋之勝游玉笛旗亭賭黃河之妍唱隱侯作賦先示王筠永叔論文輒思謝絳嗁于相答惟我與君今者青簡猶新素徽已碎歎逝誦士衡之賦徇知定敬禮之文續鳳閣麟臺之故事早經萬本傳抄〔君熟於宋明清三朝掌故所著書已次第印行〕覽鵷闌虬戸之奇詞留待千秋箋釋

盛旭人封翁八十壽序 辛卯同年公祝

蓋聞瓊文琳篆上清尊忉利之天寶筏金繩妙相證辟支之果故有前身古佛夙世飛仙香山居兜率之宮子建主陳芳之國先生自言前身爲待雲和尙於留園築待雲庵以志之是皆身修慧業手握鉤文然或賦命多窮懷才見嫉山谷以摩圍自號路入愁猢玉局是瞿曇轉生宮臨磨蝎從未見旃檀林裏連開旌節之花繡谷園中獨秀菩提之樹何家金册代號華宗郭氏珠林世誇豪族備人倫之焜燿擅國耇之光榮如我太年丈旭人先生者也先生蓮社誕靈霞都毓秀古儀應矩文曜戴筐桐露槐煙之什馳譽觿辰經橈靈節之名騰華綺歲季野備四時氣獨得春多叔度若千頃波由來源遠丹山翅擘翠水鱗翔稚圭經術斯稱甲科子雲文章乃

登郎署當其簪毫華省判牘仙曹紺煙襲衣華月升席香爐形珥稱少府之威儀錦緤青綾仰大官之供帳時則若仲舒淹雅何遜風流旣而乞竹宛陵栽花泚水政成風月詞掃虹蜺愛留訟舍之棠插遍官河之柳屬以銅陵江潰奉檄會籌先生以爲白公治郡首捍錢江之流楚相築陂用灌雩婁之野遂乃躬程畚築力澹沈災以史起之穿渠代黃香之振粟卒令鴻陂水偃蟹堁雲腴燕子田肥桃花米熟先生之澤也會登上考將進崇階而漁陽烽舉鼙鼓南來粤道煙昏欃槍東掃祖士雅著鞭而起鄧仲華仗劍而行於時元戎振旅幕府臨江喜盧植是門人辟班彪爲從事入陪玉帳出賛金弢五版星馳百函電掃大旗日落鳴鞭和笳吹之音甲帳宵寒舞劍壯酒樽之色至於遠輸

彀運宏總儲胥持劉晏之精心運蕭何之碩畫荆湘鼓角風騰萬竈之煙吳楚帆檣星運千艘之粟遂乃足兵足食擒賊擒王漸臺分王莽之屍阪泉洗蚩尤之霧屢膺鶚薦遂綰豸章赤丁白甲總司禺筴之籌繡斧碧幢迭秉保釐之節功德遍荆江上下謳歌滿浙水東西雖垂老中興未階開府而恢恢令緒薱薱清芬爰挺家楨以爲時棟我年丈杏蓀方伯以柳惲十人之才兼劉炫五官之用高掌遠蹠八達四窗環瀛九萬里電母飛書鼓冶卅六爐鐵官獻藝樓船橫海雙輪飛跋浪之魚棧道通山一線走追風之驥下至龍龕古鑑臘頂新書鑠金腐水之談海鏡地球之術莫不洞窺神指妙抉機緘上相籌邊委穆之以腹心任聖朝馭遠知堯咨有文武才凡經世之韜鈐皆傳家之弓

治譬諸渤澥之流導源於宿海豫章之產秉氣於坤輿論者服方伯幹濟之宏而益歎先生貽謀之遠也且夫金石之壽較栝柏而尤貞鸞鳳之姿澤煙霞而彌古先生道兼仕隱德備智仁獨樹身高閒雲心冷詠少陵之諸將多是故人話靈武之中興已成往事靈光殿古盤谷春長林宗歸里眾賓望若神仙仲雄居鄉列郡推爲中正若夫銅街新第金谷名園點石成岩圍花作障一片琉璃之域四圍罨畫之溪華燈春曉花氣如潮畫舸秋晴金波若綺夕陽簫鼓來近局之招邀夜火鐘魚答寒山之梵唄每當霞初星晚春煦秋陰苔屐尋煙蘿琴佇月捲簾而奇石俯瞰擊節而名花亂開丹函翠帙自發古馨巾水瓶花偶參禪理落落乎雲霞之奇氣飄飄乎竹柏之靈襟矣至其滂仁洸

義嘘槁蘇枯婁湖沈墅同門閈者千家吳郡范莊贍孤貧者七族靈樞方備爭遊董奉之林續命田腴齊卯善明之戸甚至縴舟泛粟極南北海而非遙越槖散金活千萬人而猶少宜乎鍾離樂善屢拜天章員俶登科早繩祖武既稔耳鳴之德益徵眉壽之符又何必持丹訣服青精然後躡迹松喬追踪園綺也哉歲在昭陽月在作諮壽星纏角是爲先生八秩攬揆之辰兩度朝庠之日筵霏桂粟觴泛芝英庭前舞綵爐香猶染金貂堂上張燈蠟淚都成珠鳳青袍再著早披一品仙衣白髮重來共認廿科老輩非特藝林之佳話抑亦壽世之休徵壽栩等忝附通家幸逢盛典玳筵珠履集人間侑爵之詞東鰈西鶼極海外添籌之算爲魯侯賡燕喜爲趙武進嶶言彝鼎蘄萬年之壽請鐫

玉簡而書名簪纓開七葉之祥願附璚枝而獻頌謹序

四家館課書後

南皮張文襄公之洞恩施樊雲門方伯增祥滿洲盛伯熙祭酒昱福山王文敏公懿榮所作館課詩賦合爲一編之四公者並詞林之星鳳人海之虬鸞斷墨零縑皆爲世所寶貴是編則以繡虎之雄才爲雕蟲之小技溫飛卿最工八韻劉公幹妙擅五言仙才如太白不刪應制之詩相業若沂公爭誦登科之賦當日玉堂退直門韻分題篇章則玉粹金溫人物則鸞停鵠峙曉露宮槐歷歷早朝之夢東風御柳依依寒食之思讀是編者猶想見承平風雅之遺禁近雍容之樂今張盛王三公早歸道山惟方伯獨享耆壽每爲余談同光間名人佚事袞袞可聽復於篋中出此編授余蓋庚子年方伯在京師所手輯迄今將三十年矣

蓬山夢冷桑海心孤唱開元法曲誰識宮前鶴髮之翁求長慶格詩倘逢海外雞林之賈

祭黎宋卿總統文

民國十七年六月某日謹以素羞清醴致祭於前大總統黎公之靈曰嗚呼金鏡將淪星斗之芒燭地（卒之夕月蝕或見大星西）隕玉旂乍掩虹蜺之氣茀天（卒之明日北京易幟）合九州鋒鏑殘黎同聲野哭論十載履綦雅故尤愴知音伏維我公建國元勳識時俊傑江漢是衆流所滙斗牛爲間氣所鍾雖值五虹並見之時豈有八翼上升之夢廹於時會暫總師干始則旌鉞登壇身爲首事繼則角巾歸第口不言勞論功孰與仲多罷政請自隗始郭汾陽雖爲天下副元帥劉穆之願作江上老布衣洞啟門庭部曲仍供汎掃行游城市兒童不避騶呼蓋以蛇影多猜蜮沙巧伺非有劉豫州種菜之智難免荀文若賜藥之危旣踐極峯彌懷冲挹朏然以

安百姓爲志廓然以公四海爲心婆留湖水不塡此地豈容眞主邈佶焚香上祝願天早生聖人覩彼身據火爐手持威斗者其識量之相去爲何如耶兩秉國鈞適當厄運府庫窮於涸鮒將帥驕若乖龍固已背上生芒眼中置鐵又况漢殿晨開華太尉操兵而入齊臺夕建王侍中解璽而來法紀旣等弁髦權位不妨敝屣然而愛物仁民之眞意何殊白日當天厚生利用之名言欲使黃金如土迄今詔書歷數白宮疇與比烈謝政以後世變彌殷身爲人世追繹明令循誦遺教論者比諸元祐快活條貫興元哀痛之間雲憂切民生之浩劫日誦金輪佛頂衆生之罪業難消夜看絡角旋頭幾載之餐眠俱損頹然一病中於百憂鐵雨金風纔了修羅之劫霓旌霧葆遽歸兜率之宮嗚呼

天生公以造新邦故公甫歸而國旗已變天示公足當閏位故公將去而月魄全虧如四時行成功者退爲天下慟兼哭其私溯賤子之在官偱明公之當國鹽鐵必咨劉晏錢穀惟問陳平李翺平賦稅之書雖邀省錄陸贄均租庸之奏未及施行爾後同寄津門歲時造謁酒邊花下每多略分之談袖角襟頭惟見憂時之淚方謂保茲晚節盟以素心乃西園之軒蓋重停而東閣之樽罍已撤清虛碧落遽催昴宿歸垣多少蒼生空向峴碑灑涕試停雲馭下視塵寰蓬累而行者皆公之遺民繡壤相錯者皆公之舊土此去綠草上請早教甲洗銀河他時絳節歸來快覩塵清玉甸靈兮來格鑒此微忱嗚呼尙饗

祭惲太夫人文 代

嗚呼賢母聖善垂型瑤圖毓珍璇源孕靈詩禮之澤載誕賢明作嬪華閥簟茀蔥珩蘭差載潔藻錡爰盛粲粲井臼祁祁衿纓視星曉幌擁雪寒棐紗闈杼響綺礎砧鳴旣耄能勤在貴益貞蘊此懿美篤生俊英韡韡者華詵詵者羽澤流槐袞聲高蟬組世德忠孝威風文武玉昆金友爲世翹楚鶴笏在牀金貂列戶福履家室人倫規矩在歲庚子妖星夜飛甘泉烽火震我乘輿帝簡才臣並贊閫符金册煌煌犀甲熊旗臣拜稽首奉詔欲獻南陔有蘭北山有薇君親恩重出處兩違卓哉慈訓勉以馳驅王事多艱無恤爾私莘莘昆季銜命而出龍節晨馳虎符宵發雨雪簡書風雲籌筆方待功成錦衣繞郗何圖春暉迫此冬日恤緯

流涕倚閭示疾金革方嚴傷哉銜恤解綬星奔陳情雨泣
九重覽表東望太息嗚呼哀哉家失慈範世賡禮宗凄凄
菌露鬱鬱蘭風萊衣淚黦紗幔塵封昔交溉洽會拜郝鍾
令轜塞北夢繞江東戈鋋千里關河萬重遥陳芳俎敬薦
幽宮形儀已遠瑤想靡窮嗚呼尚饗

庚午小陽月

思沖齋詩鈔

壺公題

同社楊君味雲劬於問學竺於風義余之忘年交也君世父藝芳京卿宦鄂中余未嘗投謁後十餘年公官長蘆運使余方參武衞軍事有謂余與公雅故者余曰不識也其人詫曰楊公每論當世文章政事必以君爲稱首乃未一見耶余自是有知己之感厥後公之長公子蔭北光祿入値樞庭見於廣坐中雖淡交而心器之矣國變後余年七十重入修門始與味雲爲寒山社友日益款密青箋往復時有賡酬乃益悉其出處之概畧君少即英拔頴異長而才名藉藉洞悉中外情事文詞敏給言議閎通尤以忠信仁廉爲世所推服入共和來當軸皆器其才識欲用以長財政君婉謝之其操履方正而無圭稜其胸襟廣大而加縝密余老懶謝客知使君之不凡也君亦以庾信老成深

加崇敬時君方避地析津一日同社丁君闇公持君書示余曰味雲求公作詩序其許之乎其書云生平未嘗專力於詩時或抒寫胸臆投贈友朋多不足存然視今人以艱深爲奧僻以庸冗爲豪縱以纖巧爲新奇以拉雜堆垛爲富麗者則某未敢墮此魔障也庚申燼餘合之近製裁百數十首敢效太冲乞序於元晏先生蓋猶是文人之結習耳余謂此特君之謙詞觀其歷指時賢之病非深於詩者不能偶同社集其所作皆溫麗緜密華贍精堅一篇之成互相欣賞旣承諈諉其又奚辭夫人之相交大都性情文字氣誼修名似己者易合異己者難親余於君交亦正喜其似己如孝標之比敬通有三同而無四異此所以傾蓋如故也余起家幕府洊至監司遇事不敢辭難有勞未嘗

言祿職此之故下孚羣望上結主知君亦少年卓立骨采兼優佐北府之軍諮譜東廳之掌故由曹司游陟卿貳數歷中外聲望偉然此一同也余弱冠離鸞四十膠續寒房十七載服獨睡之丸應仕三十年嚴一色之誡皆緣神禫得致康強君曩未生子夫人將爲卜簉君尼之曰汝年方盛豈乏之蘭徵待汝十年不育再謀置妾其明年果占熊夢又數年而璋瓦蟬嫣矣自是雖有斛珠無心豔色縱饒驪子不換名姬迄於今白首相莊黃嬭爲伴此二同也余少卽耽吟讀書恨少自知譾薄多師爲師及出而與當世賢達游十年以長師事之五年以長兄事之年相若而勝我者但求他山攻錯之益羞存妾婦媢嫉之心爲之數十年至於垂老不敢自是君亦少負文名詩才博麗劬學好古

殆過於吾虛懷若谷愛才如命知交中如閻公書衡師鄭皆夙負時望不輕許可獨與君推襟送抱笙磬同音觀其交游即知其學問此三同也余論詩不立宗派不趨風氣自漢魏六朝三唐兩宋以及元明諸家無不探討諷詠之以求其神趣玩味之以采其菁華君亦謂詩文所貴在一眞字情眞景眞理足味足治之以性靈澤之以書卷自能吐棄凡近卓然成家持論與余相合所爲詩足當淸和雅適四字天然美好不染時趨此四同也或曰子之詩如金兵滿萬橫行天下味雲詩僅百數十首何得言同余曰子論詩論佳惡乎論多寡乎詩佳則片語可傳不佳則萬言亦贅第君詩品正如緗梅吐蕚瓊蘭泛馨擷取芳華都非凡豔靈襟獨寫奚取貪多況君年方耆艾屏謝世事鍵戶

讀書顓力風雅鍥而不舍及吾之年務觀萬篇何足多焉
是爲序社愚弟樊增祥拜撰

樂府追蹤祥伯駢文抗手芙初若論鈍吟才調新詩比
擬何如　庚午九秋假榻於雲在山房始讀君詩全稿
乃歎向者猶知君不盡也爰取丁卯年所作原序略加
點定並綴數語於後詩稿中芟去者十之六七甄錄太
嚴殊有遺珠之憾增祥識

前清一代詩學極盛英靈間氣摛藻揚華大抵才高者喜祖三唐思清者喜師兩宋各就其性之所近以成家迨乎末流乃如冰炭玄黃之不相入明季公安竟陵笑齒久冷梅村起而力振才華漁洋出而獨標神韻竹垞愚山諸家金羈玉軑並偭唐風而初白堯峯兼宗蘇陸聲氣相應異苔同岑固無宗派之分也道咸以後乃有禰宋祧唐之說西江一派遂樹赤幟迄於今日久王將衰夫詩莫盛於唐而學中晚者失之纖穠學初盛者失之膚廓宋人矯之以精實力避庸俗而效之者或以枯槁爲瘦勁艱澀爲古奧凡壇坫侈言宗派其流極未有不弊理勢然也詩之傳者貴於眞根性情者眞襲面貌者僞善爲詩者其性情必悱惻芬芳然後澤之以文采範之以聲律故能寫難狀之景

如在目前含不盡之思見於言外反是雖字雕句鏤盡態極妍而於己之性情無與也年丈楊味雲先生負經世才位躋九列功業卓卓固不屑以詞人自命然其文鯨鏗春麗洞復散朗不名一體詩則陶冶性靈暉麗萬有如水銀硃砂入其爐鞴而成丹也天吳紫鳳經其裁剪而成章也不事佻染蹶張劌心鉥腎而覽之有金碧氣聆之有笙笛音蓋由梅村漁洋諸家以上窺三唐兼及兩宋所謂別裁僞體轉益多師者也先生晚歲退居津沽謝絕塵鞅與名流相倡酬團扇屏風爭相傳寫近乃輯所爲思沖齋詩鈔授余卒業屬以一言繫簡末先生與家君爲同年雅故海岳自癸亥謁於燕京常承教誨謂余文奇崛學昌黎拂拭備至嘗曰若不當僅以詩文名世海岳爲世所不好高談

大見聞者僵走裹糧周游十一省無所遇而爲之益自憙去春慷慨戎馬不少鐃歌笳曲半蒼涼感慨音一讀先生詩判若莛楹益歎先生駿雄之才爲不可及也噫先生之於詩特寄焉而已而其所成亦踸踔一世生平才畧施於功業者如此其未施者甚多歎大雅之銷沈聆足音之寥寂序先生詩不覺其言之汗漫也已巳季秋年家子錢海岳序

兩漢之詩言情爲主建安始兼及景兩晉而還齊梁以降乃景勝於情其時剪裁故事雕琢妍詞且由寫景而及使事弁主修詞於是開後人作詩無數法門至唐包掃眾長陶鎔萬有各騁其才力之所至以盡登峯造極之觀宋人處詩道大昌以後欲與前人爭勝於毫釐不得不一新其杼軸舍肥醲而淸淡變格律而性靈其實詩中精髓皆從唐人得來固無所用其軒輊也余於詩素不主張門戶之見竊謂作詩須歷三境界方可言詩一先於詩中求詩古人名作不可不熟讀深思二再於書中求詩但讀古人之詩範圍究狹經史子集何一非詩中眞諦一語一言皆詩之材料詩之意境非徒以驅使典實爲工三終於我中求詩能作我之詩則處處有一我非古人非他人摹擬者非

臺王山亭頁高

描繪者非使他人讀之恍然一我然後爲是此所謂眞也眞則可以言情可以寫景可以使事與修詞不爭勝於一字一句之間而自覺確乎其不可易然其經過之階級皆從閱歷與修養中來固自然之程序耳簡練出於揣摩非揣摩也絢爛歸於平淡非平淡也此即我所謂作詩須歷之境界也余少好爲詩暨入都門自忘其陋與諸名流槖筆相周旋論詩無虛日嘗奉教於樊山老人老人曰可其間與闇公書衡蟄雲頴人纕蘅諸君子談藝尤親度遼以後益肆力於詩覺詣猶未至苓泉居士出其思冲齋詩鈔授以相讀錄稿止百餘篇瞿然曰何其抉擇之精也樊山嘗序君之詩矣以爲甄錄太嚴殊有遺珠之憾今乃更芟薙之益見君之欿然不自足也君於詩不主唐宋所貴在

一眞字與鄙見訢合無間嘗語余曰作詩者所以寄吾之性情也依傍門戶者決非眞才揣摩風氣者都無實學宛陵之才未必勝於楊劉而能厭撏撦西崑之失獨闢町畦公安竟陵之學豈能高於王李而能矯摹擬開寶之非別開流派是亦不爲風氣所囿者也然使拾宛陵之餘慧衍公安竟陵之穨波庸勝於撏撦西崑摹擬開寶乎平日所言如此故所作皆清和粹美絕無槎枒之態噍殺之音樊山翁評爲天然美好不染時趨丁闇公謂如鳥囀歌來花濃雪聚皆篤論也君常寓津門偶來舊都輒以詩相見回憶十餘年前月泉舊侶角藝甚歡恆至燭跋此樂不常恍如夢寐茲者河山變色草木皆兵悲來無端亂靡所屆猶有吾兩人詩筒往復託意閒吟傷懷話昔少陵同谷之歌

流寓不歸開府江南之賦凡友朋聚散身世經歷一一於詩中略見之蓋以詩存其眞且以詩存一我也用述近時談詩瑣語弁諸簡端苓泉居士倘亦以爲然乎癸酉立春後一日虞山宗威序於北平客邸

神骨峻挺色澤華腴其逸氣高格往往出入摩詰太白尋墜緒而接遺響最推勝境乙亥臘日三立讀

梁武帝評李巖之書如鏤金素
月，屈玉自照，年於若泉同手近
詩之如張云云，又風去雲亦偏書西照
而思亦發正如飛乃古雅兀止以為於
天姿然也

丙子正月七十六叟東寧楊作像

思沖齋詩鈔

無錫楊壽枏著

長相思少作

月華灩灩房櫳靜碧窗低度流雲影箏柱拋殘金雁飛爐熏消歇玉皃冷錦衾羅幃生夕涼翠帶空繡雙鴛鴦櫻桃花開送君去如今金井梧葉黃別時贈妾茱萸鏡不忍對之理紅粧長相思在他鄉欲往從之限河梁

採蓮逕少作

水榭涼多菡萏秋浣紗人去綺羅愁吳娘不解相思苦採得蓮花總並頭

過友人村居少作

家住青溪曲移舟傍槿籬小橋垂柳外深院落花時婦解書唐韻兒能誦楚辭柴門相送處涼月滿蘆碕

繡簾少作

一樹櫻桃壓畫檐春雲蕩漾玉鉤纖風前燕子空惆悵只放楊花入繡簾

長干行少作

門外紫騮嘶粱間海燕棲春潮如妾夢夜夜到青溪

偕鄧士周秦岐臣章定安集明翠樓

畫閣垂楊裏紅闌宛轉斜燈涼多傍水香煖不關花山郭家家翠湖樓面面霞淸歌當此夜對景惜年華

山中曉起

寂寂林塘畔人家尚掩關輕煙浮竹外淸露滴松間曝鬛觀魚樂梳翎羨鶴閒聞香不知處花藥滿春山

乙未感事

爭歌涙死度遼東猶冀淮淝破賊功四海安危關將相一時成敗定英雄人才衰衰誰淸濁物論悠悠有異同自是中朝疏料敵漫將孤注責萊公

幕府堂堂百戰身晚師婁敬議和親謾書早已輕中國諫疏居然抗小臣白馬盟成終病漢黃龍約定竟輸秦金繒不入封樁庫海內蕭然始患貧

游角山寺山在榆關內

訪古投僧寺登高弔戰場時海氛未靖關前駐軍海雲含雨黑關月帶沙黃劍拭虹光潤雨後虹起澗底衣沾蜃氣凉遥知閨裏夢今夜到遼陽

戊戌秋感事

軒籙羨圖卜世長補天功業仗媧皇守文但解師黃老改

制偏思託素王重覩舊儀頒桂殿徵聞密詔出椒房至尊
宵旰誰調護落葉疏鐘繞建章
貫索光芒近紫垣紛紛緹騎滿長安顧廚黨盛成名易絳
灌交疏舉事難幾輩得官憑口舌何人報主奉心肝可憐
寂寞承明殿畫盡爐灰字未殘
上書歷抵漢公卿著論縱橫意氣輕清議竟能持國是高
才未免近時名刊章到處求張儉草表何人薦禰衡始識
本初眞健者書生白面枉談兵
兵符調遣日紛紜宿衛終應仗虎賁聞說璽書徵上相特
頒節鉞護諸軍角聲夜徹帷宮月旗影晴連輦道雲何用
北門嚴鎖鑰漢廷表餌是奇勳
五雲宮闕鬱嵯峩雨露初添太液波冠鄧高勳門列戟許

班新寵里鳴珂黨人北部聲華盛貴戚南陽恩澤多刦憶
中興諸將帥旂常黯澹舊山河

讀漢書高后紀

嬴劉間兩呂氏雄者祖龍雌者雉驪山泉涸魚燈枯碭澤
風雷赤龍起秦鹿走楚騅逝野雞來食龍子趙王蒼狗戚
姬彘倚瑟悲歌慷慨流涕英雄末路乃至此生女勝生男
呂須亦類姊北軍左袒日産祿孤雛耳鳴呼莫倚椒房親
滅火者禍水君不見軨鈴麀雞生冠倉琅根燕啄矢

天山雪歌刦寄張樵野 代

天山萬古孤臣路但有冰霜無雨露瀚海茫茫百丈深崩
厓裂石陰風怒陽烏慘戛玻璃聲素虯翻飛鱗甲舞鴻濛
鑿破冰柱摧流沙凍坼晶屏沍堠亭百里斷炊煙多少征

人從此去玉關西出穹廬高鶩沙和雪飛戰袍要令邊人識麟鳳暫離禁闥馳征軺中途枉我瑤華什坐令空谷聞咸韶伽藍酒盡露盤冷側身東望心怛忉贈詩云愁中燈火伽藍酒望裏柴車露掌盤人海論交記疇昔漢南楊柳長安月卅年蹤跡判飛沈君是雲鵬我風鷃世事蒼黃變態多太息河梁垂老別與君鄭重此須臾西燕東勞兩愁絕吁嗟乎我生局促如轅駒有夢不到狼居胥漢家三十六屬國昔日域外今中區羨君乘槎歷西海雙蛟夾檝趨天吳重溟萬里若庭戶艮維況乃同車書羅胸浩蕩星宿海撫掌揮斥崑崙圖崑崙峩峩矗天表寒門悲風何杳窱燭龍垂頭火鼠熠羲君御日不能到羌笛吹回大地春春風先遍河湟道乍聞塞外玉龍謠待迎天上金雞詔

宿史村破店題壁

破屋蕭蕭古驛亭荒雞啼處酒初醒三更冷月穿簾入照見莓苔半壁青

南樓別劉寄漚

一上高樓望層陰萬里生凍雲迷極浦寒日帶孤城深竹籠煙暗疎松點雪明清笳兼斷雁多半是離聲

出郭探梅因過僧寺訪友

偶然步苔徑獨自叩柴門野曠添寒色池枯失漲痕疏鐘雲外寺微雪水邊村寂寂空庭下惟聞凍雀喧

京口道中寄懷汝言

春水縠紋生芳汀浴鳧鷖微風送峭帆已入江南路曉趁秣陵潮暮指蒜山樹近鄉情轉戚念我同心侶斜日滿煙

江思君渺何處

泊舟香港和尚惠臣星使韻

瀟瀟梅雨滿南天海嶠蒼茫此泊船萬里帆檣迎曉日四山樓閣倚晴煙人來島市知魚賤（舟行印度洋食無魚者三日矣）客到鄉關在雁先翹首觚稜應不遠碧霄如鏡月初圓

太平洋曉起觀日出

獨倚舵樓數曉星海風吹面酒初醒波光淨似琉璃鏡雲氣濃於玳瑁屏白浪浮天連北極紅霞擁日出東溟高吟長嘯無人識祗有魚龍水底聽

題桂陰課子圖

單子東笙少孤節母楊教之書所居有桂一株枯矣母撫而歎曰是子有成樹倘重榮乎未幾桂果重榮單子

成名後爰繪是圖以誌慈訓

中庭有桂樹枝榦何槃槃上枝拂丹霞下枝巢青鸞孤根歷冰雪斤斧不敢殘一朝陽和復華葉仍團欒主人居其間飲露餐琅玕楹書五千卷一一親校刊自言少孤貧母氏躬艱難盛年謝華飾古井無波瀾織素縫兒衣屑糜勸兒餐願兒讀父書淸夜和熊丸食蘗不言苦食梅不言酸劬勞二十年巢破乃復完試披篋中卷淚墨猶斑斕空階金粟霏老屋靑燈寒孤兒今成名慈母力已殫勉思忠孝訓持以承親歡

題雲在山房示鄧範卿

終年同吏隱此地稱郎潛階竹斜侵戶簷花倒入簾夜談妨燭短午夢得香甜省識幽居樂茶瓜竟日淹

游仙詞十首存四

一抹紅牆映曉霞雲窗霧閣是仙家何當縛取青鸞帚常傍瑤壇掃落花

吹笙騎鶴上瑤天讀過琅書第幾篇一自漢皇好丹訣偷桃舐藥盡成仙

碧桃花下奉霞觴醉倚雲璈奏八琅從此上清書懶讀袖中宮譜盡霓裳

一雙仙鶴守瑤扉玉女投壺夜不歸銀燭未銷殘月落曉風寒透五銖衣四首皆有本事

送同年江杏村侍御歸里

江湖容謫宦投老已華簪慷慨存吾道憂危獨此心時艱臣節苦跡遠主恩深應笑長安客金門尚陸沈

艮谷莊夜投僧寺

一磬落秋煙山容淡已夕寒林夜蕭蕭荒徑愁虎跡惟見幽篁中禪燈出深碧

爲金藕隱題畫二首

雨餘嵐翠重風急泉聲細林罅漏斜陽羣峯轉蒼紫

融融晴靄滿郊原芳草如雲綠到門好是江南寒食裏輕煙淡日杏花村

送方大地山歸揚州莞瓜洲鹽棧

臨歧千萬緒不獨爲離筵白屋疲飛輓紅樓罷管絃估帆江浦雨戍角海門煙何日兵戈靖從君繫釣船

歲暮雜感十首存五

金虎乘權王業終紛紛海內幾英雄焚書翻恨秦坑淺拔

幟俄驚趙壁空幕下青蟲名士鯽帳前赤眚美人虹鄺生
掉舌陳琳檄抵得沙場第一功
千官撤佩正雍容萬里滇邛忽舉烽事業半生憐畫虎人
才幾輩誤從龍宮中鳳尾先書諾竈下羊頭盡受封滾滾
漳河東逝水墓門寒日鎖楸松
世事眞同貉一邱王侯無種在人謀成神未必皆青骨作
賊何能到白頭徒手探丸誇任俠傾身障簏號清流羣公
袞袞多籌策何用新亭泣楚囚
四海蕭然征調繁度支費竭仗牢盆西園鬻爵朝官賤北
寺刋章獄吏尊博士衣冠皆狗曲黨人聲價亦龍門公卿
坐論無長策太學諸生又舉幡
浮沉人海鬢如絲說着滄桑便緆眉翠瓦飄煙鳷鵲觀金

溝流月鳳凰池星河五夜旄頭動烽火三邊羽檄馳還憶
少年京輦夢春鐙朧鼓太平時

病中書感

高冠岌岌不逢時懶散心情與病宜薦士豈容輕狗監論
交何敢薄牛醫面能承唾顏終厚足爲生胝步更遲自笑
東陽腰帶減瘦狂未必勝肥癡

暑夜東姚古鳳

深院不知暑竹梧陰四圍蟬聲經雨斷螢影入煙微對月
生幽想看雲識化機石闌貪久坐清露漸沾衣

香山客館聽雨

一石一雲氣千松千濤聲濤將挾石飛雲欲驅松行雲濤
與風雨一氣相砰訇乍疑龍窟動還恐鼇極傾此時虛館

中獨對琴書清冥心百緣寂枯坐千劫平須臾衆喧止一碧長天晴四山如膏沐萬籟皆竽笙變態倏起滅太虛本無情以茲悟物理息機觀衆生

題華貞節婦傳

節婦爲吾友許彝定之姑字華祿延咸豐庚申祿延以寇亂失蹤亂定卒無耗婦在室養母十三年母卒歸華侍翁姑十四年守節六十餘年八十五而卒彝定來乞文敬題傳後

玉釵敲斷銀瓶墜露下芙蓉泣紅淚孤鴛頭白守空房錦機愁織迴文字誰言妾有夫未嫁夫先徂裙帶占還怯刀環夢已孤雲鬟對鏡不忍理空箱疊損紅羅襦可憐薄命花化作相思草藁秥消息竟沉沉藕絲未斷秋風老形管

爭題女史編桓蔆高行北宮賢誰知霜月寒閨裏啼血年年聽杜鵑

王陽明青琅玕硯歌爲蟄園主人賦

硯形橢圓色純碧上刻仙佛龍虎諸像款題正德庚辰郭詡爲陽明先生製嘯麓得之徵詩社同人題詠爲賦長篇

玉蜍呵霧凝玄液翠墨斑斑土花碧陽明遺澤垂千秋浩氣英光留片石八分題款硯背鐫製自正德庚辰年武皇鑾輅方巡幸大將龍旗正凱旋龍旗犀甲臨江渚生縛甯藩馳露布此硯隨公共策勳墨花飛噀蛟龍舞九華山寺宴居時山色青蒼照硯池染翰自鈔傳習錄書丹還刻紀功碑兩粵提軍建旗鼓此硯亦應從幕府翠色濃霑藤峽

煙墨痕潤帶梧江雨清狂道人手琢磨雕繪迦葉阿難陀寶鏡照形龍虎伏仗公正氣驅羣魔蟄園好古盛文藻傳家什襲誇鴻寶蒸出金壺五色雲石渠祕笈研朱校嗚呼鐵券凋磨佩劍亡一雙鸜眼閱滄桑讀書臺下空憑弔秋草斜陽瓦礫荒

秋桑

斜陽巷陌帶疏林記得春來盡綠陰世上榮枯原轉眼民間冷煖尚關心西風黃葉悲秋早東海紅塵歷刦深繅罷吳蠶絲萬斛荒郊蕭瑟聽寒砧

乙丑上巳與樊山匏廬二丈思緘書衡劍秋眾異頴人仲雲次公疑始招客脩禊江亭以白香山三月三日祓禊洛濱詩分韻得棲字

陂塘春水生芳樹春禽啼緒風扇蘋末微雨潤芹泥融融
煙靄霽蒼蒼雲木低麥青纔露刺柳黃漸生稊艮辰集勝
侶斗酒雙柑攜蘭亭繼高會蓮社尋幽棲坡陀徑屢折叢
薄途易迷高館倚疏林長廊帶廻溪遶碧睇晴巘纖紅玩
春荑圖仿斜川游詩擬香山題襟帶皆老莊人物即阮嵇
意氣凿埃壒談笑無町畦遙結千載契俯視萬物齊何當
謝朝市勝地常攀躋

賀陳弢庵太傅重宴恩榮

登朝方弱冠海宇正昇平視草趨鑾掖看花讌鳳城文章
開氣運人物重科名誰識艱危日匡扶獨老成
典學經筵重論才講幄難（二句有本事）乾坤留碩果江海障狂
瀾齒錄珍孤本頭銜繫故官尙方頒几杖榮遇訖金鑾

同人消寒會分詠昆蟲戲作蟲雅一章

倮蟲三百族孳育滿宇宙喙息與跂行厥狀難窮究蟻穴辨君臣蜂房分長幼蝙蝠通仙訣蝦蟆解佛咒齋壇玉蝶翔册府銀蟫走所出雖纖微得氣均靈秀奈何瑣瑣輩變態備諸醜營營蠅附羶蠢蠢蟯逐臭刺天蟣蠓狂撼樹蚍蜉陋蚯蚓爭嘈餘螳螂伺蟬後寧憐蝜蝂勞遑計蟪蛄壽具湯蝨相弔投啖蛾難救蚊雷聲縱喧螢火光詎久號寒方瑟縮附熱又奔湊腐木作臼窠殘花供飣餖強弱互吞噬雌雄自配偶喜則叩其頭怒則鳴以脰此輩本么麼紛紛類粃垢咄哉蝸角間蠻觸方戰鬥蜘蛛恃網羅蟋蟀矜甲胄山憑白蜎屯塞據青蛉守莎亭唱凱旋棘門嚴斥候金蠶忽反噬養毒適自冠跋扈曾幾時蟲沙骨已朽鯫生

蛙坐井識字昧蝌蚪筆禿蒲盧枯琴古鞠通瘦五蠹方著
書二豪借頌酒睢盱搦寸管萬物窮雕鏤微蟲鳴不平上
帝懲厥咎貶入磨蝎宮蟲魚註白首

人日栩樓社集即席分韻得澤字

春光又到銅駝陌人日風光近元夕梅花香裏試燈風幾
輩花前岸巾幘主人愛花兼愛酒手把疏香拂瑤席讀畫
邀雲林塡詞尋白石痛飲倒玉尊狂談拓金戟老子猶龍
玄又玄謂發庵春榆二丈公孫論馬白非白鐘聲初動鉢聲催醉
墨欹斜燭花碧我非桃源人亦是橘洲客別業在江南水
竹三畝宅貫華閣子夢中鹿用趙艮甫句遠乞新詩題素壁余以
貫華閣圖徵題待吟香雪訪銅坑更剪淞波圖笠澤

贈沈南野即題所著便佳簃雜鈔

一角荒亭掩薜蘿閉門竹素自編摩琴無知己寧焦尾棋但旁觀亦爛柯著述三朝青史在交游四海白頭多舊聞家世君能記疎柳寒雲憶潞河先德太守公與先伯京卿公同譜又同官潞河

題樊樊山丈紅梅布政圖

身是仙官蔡少霞碧幢絳節坐排衙瑤宮別賜東皇勅管領春風第一花

題成容若天香滿院小影

彈指滄桑二百秋依然側帽想風流高齋寂寞賓朋散玉印猶鐫繡佛樓費屺懷藏容若玉印鐫繡佛樓三字

月露香清夜不寒秋花錦石繞雕闌披圖還憶鴛鴦社金粟詞人掩淚看梁汾別號金粟

題顧梁汾小像

龍沙絕塞唱新詞歸老江湖鬢已絲寫取維摩金粟影繡塘花雨獨吟時

春暮雜感用栩樓詩社韻

杜鵑聲裏客天涯客感多從亂後加戍壘黃雲迷畫角戰場紅雪照桃花烏鳶高樹爭銜肉雞犬荒村不識家歎息乾坤多戰伐年年浩劫到蟲沙時京津戰事未定

騷壇風雅繼西涯刻燭吟成點不加小徑尋詩題柿葉高齋留客醉梨花江湖白髮多遺老謂陳弢庵諸老文史青箱是故家謂郭匏廬喬梓他日月泉懷舊社好搜篋衍付麻沙栩樓詩社

林巒晚翠煙中落池館春寒雨後加碧檻風涼多近水紅樓月好不離花芙蓉萬朵圍詩舫故鄉有芙蓉湖楊柳千絲拂酒家如此湖山歸未得青鞵日日踏塵沙自題雲薖別業

三生香火緣難了千劫滄桑恨轉加讀畫共參金粟果（繆藝風藏容若天香滿院小像余屬令弗妹亞摹懸閣中）塡詞曾傍玉梅花（陳其年曾宿庵巾玉梅花下交三九迦陵詞佳句也）松雲別塢空王宅蘿月寒塘處士家風義平生吳季子弓衣織句遍龍沙（題貫華閣）

長歌贈范寅伯

我家乃在五湖之畔二泉之間日對九龍縹緲之煙鬟丹臺石室仙靈所往還中有高人幽棲碧山青瞳紺髮玉鍊顏鶡冠野服何蕭閒旁人錯訝赤松子偶驂白鹿游塵寰塵寰擾擾昏煙霧世路荆榛盛豺虎劫火燒殘三館書狂飈吹折五陵樹先生頭白歸故廬春風絳帳環生徒槐黃夢冷蟻方鬥竹素香清蟫不枯胸中奇氣不可抑咳唾散作千明珠當其興酣搖筆處狂歌擊碎青珊瑚朝吟詩百

篇夕醉酒一壺采菊招元亮尋梅訪林逋大兒能讀平準書小兒能註銅人圖丹鉛滿几書滿架研田一片松波腴君醉聽我歌我歌爲君壽官莫羨三貂貴不及書香門第舊食莫羨五鯖美不及菜根滋味厚文章著述徒汗牛將相人才盡屠狗君看東海尙揚塵身外虛名復何有處世甯爲懵懂仙任人喚作支離叟

早起

攬帶開東軒朝暾滿林塢空階蘚衣潤始覺夜來雨藹藹竹籠煙溶溶花裛露人情旣駘蕩物態亦容與策杖攀蘿磴攜鑱巡藥圃林外已有人擔蔬趁墟去

中秋夜偕峻丞粟齋芷升晴初立之倜伯闇公仲蘧文樵游瑩園賞月

微雨洗清秋銀雲忽破碎夜來氛翳淨月出青松外徘徊上碧霄冰奩吐奇采難得素心人適與清景會名園展幽賞花下開軒待寒露滴疏桐風篁生夕籟行行轉薜蘿徑步步入蒼靄一亭枕溪坳溪光蓄深黛柳煙低濛濛蘋香微晻藹金波涵綠水蕩作琉璃界到此境更清忘言淡相對蕭寥萬古心入我懷抱內清輝幾圓缺冉冉閱人代此夜不常好此樂不易再安得生羽翰乘風凌碧海瓊樓天一夜勿使浮雲晦

九日讀太夷登高詩感賦

殘年情緒怕登高且伴黃花倒濁醪五嶽倦游將辟穀（今歲皈依道院托趣幽玄）六經廢讀敢題糕鄉心空復思鱸膾（故鄉兵事未定欲歸不得）世事但宜持蟹螯却對西風羞落帽蕭蕭短鬢不禁搔

題張勉之望月思親圖

手拂生綃淚滿衣鮮民我亦感春暉空階一片梧桐月照見慈烏繞樹飛

題卓君庸玉泉別業即呈芝南丈

昔年下直經過處重到園林思渺然碧沼平添瓜蔓水紅牆遙隔柳絲煙好圖山翠歸屏障芝丈工畫愛聽泉聲勝管絃公是東坡老居士此間合署小斜川

蘆碕萸洲鎮蕭閒投紱歸來但閉關永憶江湖悲白髮用玉溪句悔隨塵土出青山用遺山句所思常在濠濮上此地不殊鄠杜間細柳新蒲無限綠玉泉流水自潺潺

冰社重開惜仲首倡一律依韻奉酬

襟懷都似六朝人揮麈談玄四座春偶記瑣言尋北夢以貫

華叢錄及鼎印叢書分贈同人每披叢話憶西神惠山一名西神才名幾輩羞腰
扇風氣同時慕角巾但道此中宜飲酒知君肝膽尚輪囷

題襟館雙硯歌

戊辰正月二日冰社同人集於寒碧簃攜所藏金石書
畫互相評玩郭筱麓出示文信國蟬腹硯爲題襟館舊
藏適章式之攜黃忠端斷碑硯亦賓谷所收弆邊題如
出一手亦佳話也屬爲賦之

華燈照座光玲瓏錦幍玉笈排重重就中雙硯最殊絕寶
氣奕奕輝星虹文山石齋丁末造各抱大節完精忠鐵石
肝腸化爲硯墨華噀雨雙蛟龍英光萬古不磨滅遺澤呵
護煩神工憶昔乾嘉全盛日題襟高會何雍容手摹金薤
鐫翠墨西谿愛石同南宮幕府風流擅文藻硯池雙照蓮

花紅百年以來復易主寥寥天海傷孤蹤頻伽才調儷彭甘亭樂蓮裳實齋博雅儕孫淵如洪北江詩歌曾和鐵崖叟文山玉帶生硯曾藏楊鐵崖處墨妙能摹玉局翁斷碑硯爲墨妙亭石攜來客座爭撫玩几案並列青芙蓉滌以五明之露淨薰以百和之香濃石兄對視三歎息互訴身世悲遭逢西臺歌罷竹石碎銅山書室煙霞封雷塘文讌亦寂寞高館客散尊罍空飄流桑海重相見淸淚浪浪鴝眼中

淸明節偕樊山丈緝之鶴亭劍秋闇公彤士董卿蔭北兄至先農壇看桃花樊丈用昌黎山石韻成七古索和依韻奉酬

芳園春半綠尙微桃花夾路香塵飛珊枝倚空霞綺碎錦瓣貼地臙脂肥霓裳中映碧綃豔桃花白者視如碧色遠丰神綽約

絕世稀烹茶定應勝荷露豈徒作飯能療饑飛花落茶瓊香色彌豔余日此桃花茶也樊丈乃塡金縷曲詞花南舊是耕籍地南去爲籍田護以竹籬余於光緒戊申仲春從耕於此齋宮寂寂扃瑤扉虬松翠落石壇冷壇旁多古松壇上石龕二十餘座皆風雨山川諸神之位花雨潤帶蒼煙霏同游諸客半頭白我亦老病減帶圍名花一例感遲暮落紅萬點沾苔衣浮白莫辭倒玉斝先飲於酒家蹋青且復馳金羈誰家紅袖折花去陌上香車緩緩歸

白翎雀歌

白翎雀產自東海東一飛入秦塞再飛入漢宮一解漢家宮闕千花中碧疏綺閣十二重銀燭樹前春似海玉絛繫雀居雕籠二解飼以瓊田禾餌以瑤林果百鳥爭來朝鳳凰不如我三解朝聞雪衣語夜夢疑不祥何如返舊巢仍逐鳧鴻

翔四解網羅遮前矰繳伺側金彈橫飛鐵距折羽毛摧落委
黃沙啼血魂歸關塞黑爲君慷慨竟此歌鳳撥鵾弦彈欲
裂五解

和林大子有移居詩即步原韻

水石蕭閒三畝餘笛牀琴閣稱幽居倦游湖海雙蓬鬢坐
嘯乾坤一草廬松下午安燒藥竈竹邊常倚種花鋤螺江
煙雨鰲峯月太息歸耕願尚虛

漫擬蘭成賦小園卜居隨地即青門梅花眷屬同風調荔
子鄉山入夢魂別館題襟聯舊雨高樓卷幔對朝暾平泉
寂寞滄桑後家祭猶陳白虎尊謂先德文直公宋書禮志元旦殿上施白虎尊能獻直言者則發此尊

戊辰重九日瑩園登高分得上字二首

去年重九節傳烽遍亭障今歲兵氣消天宇亦淸曠尋秋蹋落葉共醉黃花釀鮭菜羅行厨肴核互相餉（主人各攜家肴二盤）螺江老太傅停杯忽惆悵先朝歲戊辰江亭展淸賞同時金閨彥意氣靑雲上滄桑六十年此老神猶王只今鳳城中人事更悽愴寥寥汐社游寂寂旗亭唱遙憐高會處搖落對皐壤獨有翠微山煙嵐尙無恙

我家山水鄉襟韻愛疏放泉聲繞戶庭煙翠落屏幛時攜孟生帽醉臥龍峯上（惠山亦名龍山）靑山不能隱抑抑墮世網避地來海濱闤市紅塵漲登高覽平蕪極目但蒼莽茲園擅水石秋色更蕭爽高館恣逍遙危亭縱眺望幸無風雨阻聊寄煙霞想遙思貫華閣秋菊薦淸釀（貫華閣以每歲重陽祭先賢）天涯客未歸夜月虛蘿幌不知此生中還著屐幾兩

偕子有栗齋至暘台山看杏花晚宿大覺寺與沅叔立之夜談次立之韻

老去游山健最難栗齋言游山四字訣以閒健爲最　春衣初換帶圍寬花籠日氣晴逾媚松挾濤聲夜不寒路轉危厓攀葛上碑尋廢苑拂苔看寺爲金章宗清水院故址有古碑二　覆車未覺征涂險補作僧寮一夕歡歸涂覆車投宿寺中

覆車行　與栗齋子有乘汽車至大覺寺看花歸遂電機忽壞直下山坂馳里許輪摧車覆始脫險

車轔轔行古道搖鞭背花去却被山靈惱驅煙喝月阻我行山石犖确車硼砰豐隆叱馭祝融怒輪鐵一爆山猿驚驟如馬脫銜又若鳥折翼直走危坡下峻坂鐵牡銅關收不得鼻端出火耳生風徒御無聲面如墨懸崖勒馬事大

奇似有神物相扶持雙輪摧塌截然止精魂猶逐飈雹馳
自笑平生走萬里虎穴鯨波游戲耳那知末路履危機不
作三公幾折臂還尋舊路上翠微重拂蕙帳牽蘿衣花神
一笑山靈喜陌上明朝緩緩歸

過樊丈齋中出示和余滿庭芳詞悄然有感賦呈一
律

黃塵如霧滿征衣來叩幽人竹裏扉故國河山鵑已老誰
家門戶燕還飛垂簾病酒年光去挈榼看花伴侶稀最憶
鱸香亭子畔河豚初上荻芽肥（用樊丈詞意）

靜坐口占示昀谷

斗室中藏太古天獨於靜處悟眞詮歌詩韻出無聲裏玩
易神游未畫前六合本爲情世界一身都是道淵泉儒家

自有安心法不誦華嚴不坐禪

贈曹纕蘅

弓衣紈扇繡新篇錦帶吳鉤結客年名士同時稱北地（謂釋戡）才人從古出西川鄉心玉壘浮雲外詩思金臺夕照邊聞說幽居池館好攜尊重醉菊花天

自祕魔崖至戒壇看紅葉宿於僧寺攸盦詩成索和賦呈二律並柬遜園乞畫

行行驢背一詩囊亂踢煙霞渡石梁雲過千峯開紫翠霜催萬樹轉丹黃自憐遲暮同秋色翻愛繁華近夕陽終日卷簾對屏障古松影落佛龕涼（寺多古松）

十分冷豔宜詩境一種蕭疏付畫家秋士風懷偏綺麗冬郎才調最清華題成錦字憐殘葉掃到瑤壇誤落花試仿

大癡圖絹素山（黃大癡有秋山紅樹圖）煩君重賦赤城霞（遜園爲談天台雁蕩之勝）

己巳九月十九日與樊山丈同作主人約詒書書衡闇公師鄭劍秋君坦蔭北兄集於北海仿膳齋爲展重陽會賦呈同坐

津沽百里不見山却借市樓作重九（太夷釋戡諸君在雲津借酒樓登高）愁海思坐塡胸莽莽黃塵照烽候老仙日下附書至待我重傾紫萸酒霜風吹作十日晴瓊島秋光更明秀珠簾甲帳雖零落白塔紅牆尙依舊蘭橈喚渡過石梁筍屐登高上雲岫（山巓有堂曰雲岫厂）況聞佳釀出黃封青帘遥挂龍亭柳練裙犢鼻酒家傭舊是蓬池斫鱠手（仿膳齋在五龍亭畔肴饌皆仿御廚）煮粥香夸玉黍糜題糕色愛金穰滲（以玉蜀黍煮粥製糕皆當年長秋所嗜）我曹自笑如饕蝨大烹豆腐瓜茄韭却憶儀鸞供帳時嘗向花

間聽曉漏只今宮館已荒涼題壁人來多白首天琴老人健如鶴登山不用扶靈壽其餘七老皆鴈行獨有黃香呼小友樊丈八十四年最尊君坦二十八年最少餘皆六七十九人五百六十歲落落逌翁與漫叟若將此會擬香山風光得似會昌否我亦欲崎可笑人鬢絲銷盡滄桑後家有田園歸未得坐令三徑黃花瘦邊塵又逐塞鴻來陳蹟還同磨驢走搖落空餘故國悲露盤秋冷銅花黝島西有銅盤承露臺

秋夜與闇公栗齋小飲

薄飲不成醉天寒酒易冰雨聲和落葉霜氣入明燈世亂輕鄉井年衰重友朋吾儕共樗散暮景不飛騰

輓丁闇公三首

寒雲蔽亭皋飛雪滿林鴟淒淒古重陽凛凛如歲暮故人

臥空堂一病遽沈痼對我黯無言百感塡胸臆君病非不治乃爲藥所誤撐腸萬卷書恨未孥靈素伏枕淹二旬長眠竟不寤蓉城花冥冥舊是君家主君今脫塵羈一笑凌雲去存者獨何堪憑棺淚如雨

君才胡石筍君文章博麗僅中副貢薦入禮館身世與稚威畧同君貌陳迦陵君銀鬚盈尺相者謂似其年余戲語君若開鴻博科髯當超羣絕倫矣雖應禮館辟未遇鴻博徵晚經桑海變忠憤常塡膺白衣唐羅隱皁帽漢管甯蕭然蜨影樓插架排籤縢茶煙禪榻畔兀兀如枯僧君喪偶後獨處者十四年我來恣談諧氣若蘭雪澄春風花嶼酒夜月松窗燈共尋讀書樂期作耐久朋如何舍我去寂寞歸荒塍

素琴猶在牀丹函猶在几諷詠豹牌詞摩挲鴝硯字君近得正德豹牌徵詞社題詠又得端硯爲黃莘田十硯之一二物皆君所珍玩圖書與金石寶守有

才子遺文付校刊此責在後死悱惻天琴詩纏綿滄趣誌
當代兩龍門齊下憐才淚謂樊山弢菴二丈令子奉素輀行行歸
故里藏魄青山阿游神竹林寺君葬於京口招隱山竹林寺之側平生鷄
酒約腹痛何能已惟應冰絲龕地下尋知己栗齋繼逝

辛未上巳十刹海修禊分得夏字

散策來舊京花事漸妍冶輕雲藹芳郊濃春似初夏年年
修禊事積感資陶寫此地多名園承平盛風雅只今朝市
改雲物轉清暇言尋蝦菜亭重續蓮花社緬懷天琴翁招
魂奠椒糈停觴念舊游臨風獨悲詫

十刹海禊飲後獨游積水潭

一醉花前不遣愁自搴蘅杜步芳洲箏琶散後容孤嘯裙
屐稀時稱獨游黯黯樓臺惟夕照荒荒城闕似殘秋詞流

寂寞風騷歇影落滄波已白頭

和社友白牡丹詩限鹽字韻

不須彩筆乞江淹多買燕支轉自嫌富貴濃時偏淡泊文章豔處卻清嚴香殘但借鸞翎掃粉重還防蝶翅黏省識花王眞本色珠爲步障玉爲簾

和社友綠牡丹詩限鹽字韻

佛頭染就色香兼（牡丹綠瓣者名佛頭青）一朵亭亭映翠簾落瓣細裁蟬鬢薄折枝倒挂鳳翎纖籠紗影借春煙護唾袖痕從曉露添何必黃袍纔富貴碧霞仙境自莊嚴

秋草

悔從南浦種愁根荒徑蕭蕭自掩門青鬢凋殘名士感紅心悽黯美人魂寒螿弔月聲都咽瘦蝶棲香夢不溫依舊

畫橋西畔路冷煙疏雨寫秋痕

關榆驛柳盡驚霜莽莽寒蕪落日黃獵騎撤圍驕雉兔穹廬籠野散牛羊空聞馬草征邊餉誰向龍沙弔戰場摹得南朝金粉色陸渾一火便蒼涼

搖落淮南十萬家青青巷陌長銀沙玉鉤積雨銷煙翠銅輦經潮鏽土花淚沒枯蘆惟聚雁波沈僵柳尚棲鴉西風殘照蕪城路空憶春郊走鈿車

霜風吹到寸心枯一碧如煙淡欲無漢苑但聞栽苜蓿吳宮猶憶采蘼蕪荒陵冷落蝦蟆鼓舊院飄零蛺蝶圖昔日繁華都閱盡青袍顏色也模糊

讀孫師鄭感時詩卽題其後

鳳饑何處覓琅玕苦憶丹山去住難奔月可容攜玉斧避

風猶是怯金丸白榆歷歷星辰遠黃竹蕭蕭雨雪寒欲訪三神隔東海憑將消息問青鸞

前詩成後又感賦一絕

鶴髮朝天半故人坐看海上碧桃春華陽曾記陪仙弈輸卻瀛洲白玉塵

袁潔三寄示書感詩十章中多畏譏憫亂之詞賦二律以廣其意 日兵占遼潔三偕紳耆組織維持會保護地方

黃塵捲地角聲哀千里狼烽照海來踦復雁門無李廣衅成馬邑有王恢蕭蕭草木愁兵氣莽莽山川惜霸才依舊重陽好風日菊花偏傍戰場開

袁絲慷慨復登壇白首籌邊智力殫鼉鼍同居嫌勢偪熊羆可卻恃神完琴多急柱知音少棋到殘枰下着難風雨

漂搖憂毀室憐君赤手障狂瀾

辛未三月筱荔叔入句攬揆兩度朝庠敬賦長歌以
志佳話並呈石漁仁山兩兄

太學石經作柱礎蘭臺萬軸裁帷囊金絲韻歇章縫賤博士輟講圜林荒鄉閭何幸瞻盛典衿佩翼翼齊升堂闔邑秀才百餘人偕謁孔廟道旁父老皆歎息橋門觀者如堵墻巋然一老尊祭酒白鬚絳頰青瞳方六十年前尚童丱上丁釋菜隨班行是時海宇正熙宴絃誦比戶聲琅琅賢書策名方茂齒文彩照耀龍鸞翔上書歸來參幕府銀手如斷金心剛六州圖籍日盡覽三司條例胸能詳一麾典郡歷甌越翩翩琴鶴隨行裝獨將經術飾吏治萬口流沫稱龔黃何圖世運丁陽九拂衣高卧西神旁歸舟未載鬱林石家業并

少成都桑窮愁偪側百不問探索墳典斟謨觴一編寒翠
誦吟草公著有寒翠居吟草二雅悱惻騷芬芳藏書自守伏生壁下
教誰表鄭公鄉歲次重光壽八秩青袍再著朝虞庠吾宗
遷吳始南宋七百餘載承書香通儒循吏代相踵皆以政
事兼文章即今鄉邦數耆碩陶吳以外推三楊是歲重游泮水者又
有陶端翼吳松雲二先生石漁仁山兩兄惟公名德尤魁異典型一代瞻靈光
雖無蒲輪聘遺逸尚有椒醑蘄壽康更逾四年歲乙亥鹿
鳴重奏諧笙簧

子威過余燕京舊居憶往時文讌之樂並追悼樊山
丈閶公書衡賦詩寄懷愴然屬和

寒藤瘦石倚荒亭鉢韻棋聲已久停寂寞山邱幾春草飄
蕭江海兩秋萍十年影事燈前過一曲商歌笛裏聽猶有

故人尋屐印苔痕不似舊時青

春暮泛舟南海因至頤年堂看海棠

寒輕猶怯柳絲風笠屐閒身一病翁春色半歸煙雨後詩情多在水雲中鬢窺波影重迴綠花避霞光忽退紅曾是昔年燒燭地畫廊香霧尚濛濛（癸丑甲寅間與府僚常聚於此）

子威歸自塞外重晤於燕京枉投佳什依韻奉酬

衣袖猶沾塞上霜三年客裏鬢毛蒼似聞鶴語哀遼左早識鵑啼感洛陽化去銀杯空自惜（君避兵時遺失古玩書畫甚多）壓成金線爲誰忙邊塵銷盡青袍色從此天涯草不芳

子威以所著度遼吟草屬余點校校畢題一律於後

擊劍高歌動酒悲東音激楚入琴絲少陵詩到夔巫壯子厚文從永柳奇萬里風雲摩健筆三邊冰雪鍊清思樊王

逝後傷知已腸斷秋燈校字時稿中有樊山丈書衡同年評點

東海行

昔游東海鞭赤龍曉霞倒射扶桑紅雲濤萬里去不息豁然一氣連鴻濛中有靈禽銜木石口瘏尾禿心力窮一朝忽變化毛羽似鳳聲嗈嗈朝來餐腐鼠暮啄蟻與蟲自矜一出爲世瑞聚族爭食乃與雞鶩同肯將微質填碧澥詎有大力迴蒼穹況聞碣石東上與銀河通巨鯨吹波黑風起壺嶠漂沒洪流中乃知坤輿從古有缺陷斷鼇立柱媧后難爲功

中秋夕無月偕劍秋蔚如彤士子威仲騫蔭北兄泛舟北海樓閣空濛煙波杳靄兩岸燈火參差如春星映水遙聞玉笛一聲出自柳邊水榭清歌間作桓子

野將奈何矣歸成五古一章聊紀淸游

我從海上來秋色正蒼然朝朝閉簾閣意緒如枯禪今宵値佳節萬象彌澄鮮素心二三子夙與魚鳥緣遂攜松下席同上柳陰船嵐氣忽蓊鬱暝色來鷗邊銀雲澹不流碧海成瑤田姮娥掩明妝素影猶娟娟豈眞改曆後璧月不敢圓樓臺入蒼靄轉愛銀燈妍風漾碧玻瓈縠紋散淸漣枯荷芟已盡蘭槳任洄沿忽聞玉笛聲吹徹蘋花煙扣舷發浩唱驚起沙禽眠仲騫度曲勝情雖未愜能使塵慮捐岧岧廣寒殿高倚瓊華巓亭亭承露盤舊蹟迷銅仙秋光仍嫵媚人代屢變遷安得掃浮雲還我淸虛天只愁山河影破碎不復全

和子威放言五章即送其南歸

子威去秋因遼變入關仍充東北大學教授近自舊都來書又將避兵南旋世變倉皇知交寥落回念曩歲文讌之樂邈若山河憂亂傷離不勝惘惘即用原韻和成五章

別離情味逼殘年千古原無不散筵游子還鄉因避地才人失路欲疑天論詩紅袖窺羅隱多女弟子講學黃巾識鄭玄重讀江南哀怨賦蘭成蕭瑟倍堪憐

雁塞三年行戍稿以度遼詩草屬余點定 龍沙萬里倦游身我躬不閱遑憂亂吾舌猶存豈患貧犢鼻長卿方諭蜀川戰方亟 貂裘季子尚留秦惟君獨抱籌邊策羞逐元規扇底塵

欃槍五夜燭天明三界脩羅未息爭畢竟封侯生有命何堪作賊死無名蒭餘白骨猶徵餉銷盡黃金但鑄兵坐看

紛紛棋打劫不知終局是誰贏

十萬橫磨賸蒯繩揖戈殺賊幾人曾驚烏繞月栖難定斷鴈銜風陣未能幕下飛書徒嚇鼠帳中麈扇但驅蠅酒闌忽作沙場夢鐵騎遼河夜踏冰

廿年人海感飄零留得征衫似舊青才擅裴駰三世史學傳伏湛一家經（君諸子皆賢能承家學）銀鐙官舫詩先就銅韋秋衾夢易醒終是南朝風月好過江名士滿新亭

庚午冬刻詩七十餘首樊山丈病其甄錄太嚴覆閱之則存者未必佳刪者不盡劣今春重復編次增入辛壬兩年所作存詩百首又從刪餘草中選出六十餘首輯爲補鈔合諸鉢社偶存亦僅得二百首耳淘之汰之仍多沙礫也　癸酉春仲自記

庚午小陽月

思沖齋詩補鈔

壺公題

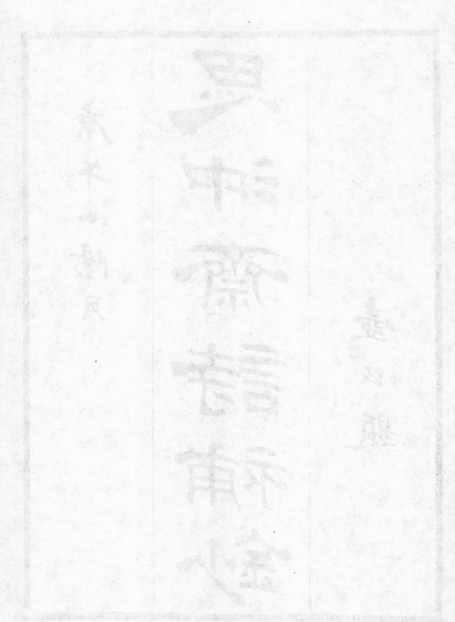

思冲齋詩補鈔 刪餘草內選存六十餘首錄爲補編

無錫楊壽枏著

燕姬行 長安道中書所見與範甫兄同作

平頭高髻青玉粱繡袍貼地袴褶長蓮花琢屐光緻緻金環錯落垂明璫車中之人十六七臉似朝霞膚似雪一朵香融閬苑花十分豔吐瑤臺月珊鞭鈿轂絡紫纓鴉鬟窄袖橫簾旌下風忽聽鶯燕語知是上林第幾聲濯龍門接銅龍邸執戟長楊夫婿貴兒家生小住瑤天不識姬姜有顦顇昔時闕塞龍虎爭今時聳轂鸞鳳鳴路人搖手行逡巡當軒一諢屬騎嗔只愁紫陌紅塵膩無端飛入晶簾底

友人納姬戲贈

玉簫聲裏過蕪城陌上搴帷已目成桃葉歌詞多宛轉柳枝性格最聰明拈來紅豆翻新曲弄到青梅喚小名猶憶

横塘風月夜雙鬟隔舫按銀箏

箱根泉詞和周子榮原韻泉在日本箱根

倚劍扶桑天濯足箱根泉千峰萬峰青藹杳中有一鏡涵清漣樹古苔荒白石瘦蒼松鬱律皆千年空潭風雨蟄龍起靈蹟不共滄桑堙泉曾爲蛟水所堙泉上幽人居水竹環其廛泉上有環翠樓主人鈴木好客躭風雅樓頭萬笏森蒼煙樓下琴筑鳴涓涓碧山無言白雲靜此境疑在洪荒先我誦周生詩奇境突兀起眼前泉聲嵐翠移我情抱琴徑欲從成連空山曉夢踏蘿月但見玉垂有瀑布名玉垂飛瀑如虹懸上有古僊人風貌何清妍壺中飲我碧玉釀一笑醉卧青霞邊醒來手君詩一編猶覺天風吹鬢雲滿肩攬衣起坐心茫然嗚呼蓬萊壺嶠在人世何必海外求神僊

忍草庵

行行入翠微路轉得巖屏絶壁松杉古斷碑苔蘚肥山禽爭果落野蝶趁花飛嶺半孤僧下多應採藥歸

過友人山館

煙蘿最深處中有白雲門高閣窺松頂懸崖露竹根移花還引蝶拾果每呼猿便欲從君住躬耕長子孫

過僧寺題壁

孤塔界空翠小橋倚斷虹晝長僧梵寂鈴語落花風

得劉樸生同年書卻寄 揚州人官湖南按察使政變後棄官歸

豸冠嶽嶽樹新猷十丈油緹擁絳騶一夕秋風隔湘浦二分夜月憶揚州劫餘城郭來玄鶴歸去江湖訪白鷗賈誼憂時空太息只今誰憶徙薪謀

題十分春色圖壽吳節母

春風初到瑤圃中靈芝已碧蟠桃紅蓬萊海水幾清淺王母晏坐瓊華宮延陵世德鍾國士文采翩翩衆莫比夜杼秋燈聽讀書劬勞賢母成令子賢母傳經擁絳帷陔蘭潔膳報春暉玉巵乍泛麻姑酒金線猶縫萊子衣當年粧閣修鴛譜綵筆吟箋伴朝暮寫取瑤臺五萬花十分春色歸紈素彈到離鸞不忍聽香奩金粉半飄零鷗波未築吳興館鴻雪猶留歷下亭揭來歲月蓬壺永榮枯閱過如泡影蓮花清淨竹平安劫灰不到華鬘境由來奇福在天倫閨範流傳世澤新他日起居瞻八座定知歡樂過千春

柳屏招飲於補梅書屋即席賦贈

鵲華翠色上簾旌松竹蕭疏池館清狂擁紫裘揮玉琖醉

攜紅袖擘銀箏君令姬人度曲每耽書畫妨公事爲戀湖山減宦情卻憶故園春信早梅花老屋雪初晴

己未上巳瀛臺修禊以南海二字爲韻

去年修禊西湖上籐輿筍屐探精藍今年修禊鳳城裏五雲樓閣東風酣羽觴一一浮曲磵畫船兩兩搖晴潭不須絲竹佐豪飲但有茗荈供清談卻笑紅塵看花客鈿車金犢南城南

蘭亭觴詠芳林宴陳迹悠悠已千載官舫紅橋賦冶春昇平人物今何在乾坤俯仰成今古白日青春去不再昔來花下聽鳴珂今日花前鬢絲改花落花開春復春蓬萊幾度經桑海

高韞甫挽詞二首

天道今難問斯人竟九原家貧詩卷富世亂布衣尊講學承先緒（忠憲公之裔）藏書付後昆如逢槎上客白髮話開元

淸節陶元亮高懷宗少文眠琴蘿磴月讀畫竹房雲（喜書畫花竹）橘井呼猿守芝田課鶴耘（工醫）風流一時盡宿草滿秋墳

森玉笏（香山多奇石山腰聳起一峰卓立數百尺廣三四畝萬石凝結而成高宗題曰森玉笏）

小石如熊蹲大石如鰲抃萬石所胚胎奇峰忽湧現森森蒼玉笏峩峩倚天半神工劖削成百仞窮攀踐膚色疑青銅雷雨所洗鍊陰厓臨絕磵仄徑盤一線仰觀懼頂壓俯視愁目眩精舍構其旁巖扉滋碧蘚陰寒砭肌骨淸景難久戀歸路乘松風夕陽滿蒼巘

送顧沅若南歸

白首還鄉卅志孤離亭分手卽歧途勞勞誰是憐君者鬱

鬱焉能居此乎試問桃花不知漢偶思蒓菜便歸吳何時
共逐鴟夷去一棹煙波泛五湖

贄園詩社讌集賦呈郭春榆太保

詩壇裙屐慣招邀池館清華鄖午橋椽燭修書無女伎修德宗實錄告成屏風入畫盡僊僚黃扉舊事談簷曝舊值樞垣紫府新銜領洞霄七十賜壽賞太保銜試仿西園圖雅集斜簪散髻最逍遙

題金息侯瓜爾佳氏忠孝節義合傳

忠孝傳家擁節旄一門四世荷恩褒西都金馬聲華盛東闕銅龍甲第高綠野舊莊愁劫火青塘廢壘咽寒濤秋堂夜靜虹光起篋有征南帶血刀

孫慕韓寄示淀園即事詩賦此卻寄

鼎鼎百年內此日如飈輪茫茫六合中此身如稊塵機智

牿我性利欲耗我神人生貴適意浩浩全其眞夫子抱奇
質偉然廊廟珍秉鈞立朝端萬物歸陶甄壹意斡元化再
使風俗淳忽然不得意卧病解朝紳身退名愈重志屈道
自伸名園占幽勝位置皆經綸花竹有逸趣蔬菰亦懷新
吐納接太清能令四海春寄託雖江湖憂樂關斯民鯫生
託末契廿載承華茵簪裾朗潤園（丙午秋與公同定官制居朗潤園）羣彥
何綸彬滄桑一朝變懷舊增悲辛鬢眉各老蒼風骨猶嶙
峋願公履貞吉在世爲鳳麟

湖塘行散

策杖芳隄自在行暮秋雲物最淒清林巒倒影搖空碧城
郭含煙帶晚晴松下風來棕帽側苔邊雨過筍鞵輕田家
尙有承平樂愛聽村村打稻聲

觀扶乩有感

爐香如篆晝堂幽檀玟瓊茅次第投芝蓋三霄迓鸞鶴薤書一氣走龍蚪漢宮此日無仙降曹社當年有鬼謀身世升沉吾已定漫將心事問靈修

過娭園贈李大伯芝

一瓢一笠一詩囊小憇林亭愛晝長泉帶花香穿曲磵日移松影度迴廊黃梅雨後銀箏潤白藕風前玉簟涼卻笑東華冠蓋客紅塵如海馬蹄忙

康伯製竹爐二以其一置貫華閣中繼竹爐山房韻事詩以張之

湘簾雨潤茶煙綠簾外松風鳴謖謖何人手擘青琅玕自瀹雲腴煮寒玉舍人遺跡不可求幽篁翠冷空山秋卻向

草庵續韻事風流更有顧虎頭故園荒徑煙蘿老滿隝蒼
雲寒不掃待燒紅葉試新泉從子山中拾瑤草

顧康伯屬題辟疆園圖

家世風流祖德馨披圖重認好園亭簾前山色和煙落檻
外泉聲帶雨聽古硯傳孫蕉葉白君新得爾孫名蠶飼客豆花
青濬池得舊磁十餘件碧梧軒畔秋如水日日焚香讀道經

題俞巨溟槖廬講學圖

秦坑餤復噓六經委榛叢聖道既陵夷九流遂分派陋儒
擁皋比高語六合外冥冥即長夜大義日星晦先生抱遺
經感時發深喟此輩劇披猖後生益茫昧闢邪崇正學此
責吾安貸城西峙精廬蕭然絕塵壒花藥羅庭階春風長
書帶中有絃誦聲披帷人宛在考史宗錢王解經法江戴

餘事逮詩文碑板懸金待曩歲從君游聲華壓流輩聯吟
紅藥階對直紫薇廨乾坤忽板蕩舊事迷桑海欣聞絳帷
開後學得津逮異說掃紫鼃高談震聾瞶斯文儻在茲期
君蓄光采

臘月入都謁樊樊山丈遂與閻公貽書彤士蔭北兄
小飲旗亭同津後樊丈寄詩索和依韻奉酬

報道梨花春釀熟飛仙遲我鞚青鸞雪殘竹外銀燈豔月
轉梅邊玉笛寒偶借一鴟供泥飲還遺雙鯉勸加餐密雲
龍茗煩親點也作蘇門明略看
晚歲丰標瞻獨鶴早年才調賦輕鸞伎無桃葉堪娛老妻
是梅花共耐寒佛果修成金可鑄靈方乞得玉同餐紅塵
白髮三千丈橘叟殘枰冷眼看

和李釋戡戊辰元日詠懷即用原韻

未妨晏起過三晨元日蕭閒自在身攬鏡鬚眉成老物織縑手爪讓新人不安蛇足聊藏拙縱戀猪肝詎療貧小閣焚香寫梅譜馬蹄懶踏六街塵

戊辰除夕

臘鼓聲中歲又闌青紅依舊簇辛盤梨雲有夢春先到先五日立春梅雪無聲夜不寒亂後交朋多聚散老來心事雜悲歡祭書冷被長恩笑蠹簡飄零鳳蠟殘

和曹纕蘅經沅移居詩即次原韻

詩龕今在鳳城東擕得琳琅滿篋中氣韻沈雄蕭選近敖器孫詩評魏武如幽燕老將氣韻沈雄才名馨逸楚騷同君名號皆出楚詞歸愁蜀道羊腸險坐笑燕臺馬骨空室有圖書五千卷曹種水藏書處日五千卷

室閉門鋤菜不稱翁曹秋岳別號鋤菜翁

偕弢庵樊山二丈韓齋龠闇昀谷午詒姜盦嘯麓酒樓登高限高字

百尺樓頭意興豪寒雲莽莽壓神皋河聲近挾桑乾壯海氣遙連碣石高地接三邊多戰伐天留二老主風騷何堪歲歲茱萸會盡把流光付浪淘

題曹靖陶看雲樓覓句圖

洞天三十六縹緲多奇峯峯峯生白雲幻作青芙蓉雲中有詩客高閣吟松風詩心似雲態舒卷皆化工詩成雲亦歸一碧長天空煙霞萬古氣收入詩囊中君從雲海來濕翠沾衣濃披圖玩煙墨一氣青濛濛

庚午花朝弢庵太傅蘇龕前輩公雨社長招飲酒樓

賦此報謝

草堂人日題詩客屐印襟痕翠未消又向尊前尋後約落梅風裏度花朝人日集於雲在山房預訂花朝之約

鬢絲如鶴伴茶煙管領詩壇兩謫仙更有詞人萬紅友醉吟題滿蠻花箋

曾記天街走鈿車玉河橋畔酒傭家空餘一角青帘影冷向東風閱夢華東興樓爲舊京著名酒肆今移津門

春寒惻惻燕歸遲已有輕黃上柳絲正憶芙蓉湖畔路暖風疏雨杏花時

題張仙舫石琴廬詩集

刻燭詩成四座驚繡絲傳唱徧龍城縱橫碧海長鯨氣縹緲丹山老鳳聲卷裏綠楊新畫本工畫曲中紅豆舊詞名詩句

有鸚鵡似嫌人久立一丸風流重續題襟館一代騷壇仗紅豆怒拋來爲人傳誦主盟君任東三省鹽運使

題黃黎雍松客詩集

湖海論交畏後生知君奇氣壓幽并湘絃悱惻離騷意燕筑蒼涼變徵聲著述多從前輩定才名貴在少年成豈徒詩價雞林重旗鼓中原孰抗行

題陳女士蛺蝶圖

翩翩雙鳳子弄影傍花龕會得纏綿意前身是綠蠶本是羅浮種仙衣五色妍春風金粉筆不畫孟家蟬

題韓斗瞻將軍遺墨

將軍名光第吉林雙城縣籍以材武典軍任東北陸軍第十七旅長蘇俄釁起駐軍札蘭諾屢挫敵

軍客冬十月俄軍以全力來攻將軍以疲卒千人當强俄數萬之眾負傷督戰卒以力孤援絕戰死所部無一生降者抑何烈也其鄉人裒集將軍手札家書十餘通爲之印行敬題二律於後

蛇豕縱横日妖氛動地來孤軍屯鹿塞遠戍度龍堆風捲牙旗折星沈畫角哀男兒拚一死羞上李陵臺

盾鼻磨殘墨書成淚眼中先幾能料敵遺恨在和戎裹革忠臣志銜鬚烈士風神州方苦戰萬甲枉沙蟲

韓齋由滬來津不見十七年矣栩樓讌集即席贈詩依韻奉酬

横流同宿露車前歸計難謀二頃田一自金盤辭漢闕空留銅柱鎮蠻天君由桂撫擢粤督入覲始與余定交海邊歷歷栽桑日江上

依依種柳年孤館鵑啼花又落雁箏塵滿十三絃君有朝雲之戚

題黃松客千華覓句圖

亭亭千芙蓉一壑一靈境山中采芝人鶴背天風冷坐嘯掩松關行吟步蘿徑澹與客忘言靜如僧入定端居屏塵累獨往窮幽興疇昔誦君詩夢繞蓮華頂千華山舊名眼千朵蓮華山明見圖畫頗類江南景欲訪六朝山空思李鍾隱圖爲吾妹令弟所畫君贈詩有不見江南李鍾隱及輸君恣看六朝山之句

庚午重九與社友飲於市樓酒後登中原露臺復同過東亞菊圃分得此字

我生性僻耽山水五嶽未游身老矣東望醫閭白日荒西瞻太華黃埃起萸香蕁熟好時光閒卻登高雙屐齒黃花勸客且攜壺共醉壚頭桑落美霜螯瘦小不堪持笑爾橫

行竟何恃酒酣更上百尺樓海氣冥冥煙霧裏關塞秋清雕鶚驕江湖水闊魚龍喜要將詩骨鬬清寒四野霜風歸杖底搴簾忽覩千花明照眼繁英炫紅紫客言此地未足奇别訪名園擅珍異煙姿露態互呈妍海客偏能譜花史可惜羅家别業荒寒香十畝誰鋤理園林彈指亦滄桑人事榮枯盡如此羅園菊花最佳今歲主人卧病花事闌珊矣 君不見去年瓊島尋秋客今威羽化傷知己悲懷得酒强自寛坐看煙雲成海市去年北海展重陽會者九人今闇公已逝

謝陳弢庵太傅賚橘

攜得芳馨滿袖生上蘭分賜比朱櫻薦羞已罷園官秩包貢曾隨驛使程玉液恰經霜後飽金衣都近日邊明肯教變化同淮枳碩果從來要晚成

題周靜嘯風塵游俠傳

蓮花鍔鏞蛇涎腥殺人百里無留行素書一卷吐奇采秋堂月黑聚古靈少年結客風塵裏腰下龍泉是知己黃衫倜儻好男兒紅線娉婷奇女子知君柴棘填胸中歎息並世無英雄酒酣擊筑過燕市會笑荊卿術未工

書感 題李吟白詩稿

肯效時流百態新甯期負賞出風塵但揮麈尾皆名士能畫蛾眉即美人柳絮有緣逢道韞梅花無福見靈均高才淪落知音少破屋荒江老此身 闇公以吟白詩稿屬印且述其身世遭遇爲之慨然自古青雲之士大都藉援繫成名而宿學高才埋沒於菰蘆之下者多矣豈獨吟白哉

挽樊山丈

但以詩人老知公意自傷百城傳判事三館誦彈章 丈入翰林

郎上書彈某樞相酒散紅雲社丈自壽詩幾叢南燭紅雲社花殘白紙坊丈看牡丹詩春遊白紙古時坊一時名輩盡忍淚話同光

當代風騷主爭扶大雅輪詩多聊遣老客久漸憂貧茶話桃花豔農壇賞桃飛花入茶醆余曰此桃花茶也丈乃塡桃花茶詞和者甚多硯題蕉葉珍余得厲樊榭蕉葉白硯題詩者爲樊山與丈別號巧合因以奉贈秋堂尋履跡几榻黯生塵去秋丈來津沽下榻雲在山房

題謝邁度五十小像

百年鼎鼎行將半三界空空着此身鴻爪春泥留跡象馬蹄秋水喻精神風塵肝膽誰知己土木形骸自率眞麟閣功名多不羨但圖笠屐作詩人用原詩意

挽廉南湖

絕代才華小萬柳年來善病似維摩照人俠膽明如月閱

世禪心靜不波潭柘寒雲新殯舍海棠香雪舊行窩青山有約歸期誤辜負南湖一釣蓑君沒後葬於潭柘寺之左舊居翊教寺齋前紅海棠一株忽變爲白

和管洛笙移居步原韻

玉關霜冷幕栖烏誰復名王斬右渠昔日安邊師傅鄭晚年流厲作歐蘇翦殘鶉首知天醉拔盡鯨牙願海枯何處更求乾淨土蒓鱸雖好不思吳

雙肇樓題詞

東莞張君次溪與淑配徐雲璐女士皆工書畫同皈依三寶次溪法名演肇女士法名肇瓔爰建雙肇樓居之繪圖徵詩爲題二絕

恰仿騷經肇錫名神仙慧業早修成三生製就鴛鴦牒同

叩蓮臺證舊盟

閒搜茗事對爐香一角紅樓倚夕陽遙指豐宜門外路蘋風蘆雪似江鄉

題陳向元鎮軍去思圖駐兵泰寧鎮既去居民爲建捧日臺以誌去思

薊門柳色映征袍父老猶思保障勞一路香花擁笳吹歸來笑解赫連刀

萬山翠湧紫荆開立馬迴看捧日臺珠帕錦袍人去後周行壁壘歎奇才

嘯麓招飲於蟄園即席有作次韻奉酬

舊題詩句在屏風池館重經百感中花向嬌穠如待客石能縐瘦合稱翁春來意緒蕉心似老去光陰蔗尾同簾外綠陰無限好偏從葉底玩殘紅

題敬止齋讀書圖

晩歲味道腴幽居塵事少晴窗展湘帙字字研朱校舊學
溯淵源微言探奧窔窺簾蘿月低隱几松風悄我亦謝世
緣焚香誦黃老

題王可莊先生中泠泉圖

祠前碧玉傦潺潺祠下遺民髮已斑忠孝起家公望重神
仙出世宦情閒十年清夢雲霄上千古高風水石間從此
金焦添韻事科名第一配江山

自訟

海內風塵正苦兵草堂泉石獨澄清機心化後棋無劫俠
氣銷時劍不鳴勝負紛紛看蠻鬬官私擾擾聽蛙爭從今
但學陶眞逸鍊藥吹笙過此生

八月十七夜與養臣彤士步月公園𨹧談玄理養臣因出示玉泉尋夢記自知前世為大根和尚尋實具詳圖記中對此清景頗悟淨因爰作五古一章題於圖記後並志今夕之游

日落山氣涼碧空散霞綺停觴一迴矚月上青松裏攜杖度修廊步步生幽意池光不定明林影難為翠竹露灑我襟蘋風吹我袂三人二百歲戲語有玄理（養臣七十五彤士六十余六十五養臣戲言三人恰合二百歲今夕之游亦有緣法）吳公修淨果示我玉泉記前身苦行僧今世報恩子禪房尋舊夢一一見巾履彈指去來今因悟楞嚴旨即茲一夕緣亦有三生契空潭印皓月清景當前是回憶前宵游詩情在煙水（中秋無月泛舟北海）

次韻纕蘅中秋懷人詩

夢華舊事憶東京江上秋風一夕生別緒如雲常歷亂吟懷似月總空明山齋聞雁占兵訊湖舫邀鷗證酒盟遥想青簾銀燭畔飽箝官紙句先成

壬申初冬幼梅邀集城南詩社社友紛投佳什賦此報謝分得半字

凍雲壓高樓西風吹雁斷城南人海中虹月英光貫酒龍與詩虎維坐觥籌亂槃敦狎晉齊鼓旗張楚漢縱横鐵如意擊碎青玉案貽我瑤華篇字字驪珠璨感此風義深自傷歲華晏黃塵東海霾白石南山爛避地客星多懷人今雨散君平既遺世冷落蟫香館停觴憶舊游悲歌起酒半詩社爲嚴範孫丈所倡立丈逝世已三年矣其書室日蟫香館陳君誦洛著今雨談屑記社中舊事

歲暮同社讌集賦贈幼梅即次其生日自述韻

一卧滄江歲月寬酒尊詩卷足清歡佳人南國多長袖名士西京自小冠近海樓臺龍氣潤極天關塞雁聲寒悲笳又送流年去如此烽煙不忍看時榆關又有兵警